Mr
Wili
Wonka

Ar gael oddi wrth Cyhoeddiadau Rily

Y Crocodeil Anferthol
Mr Cadno Campus
Moddion Rhyfeddol George
Y Bys Hud
Nab Wrc
Jiráff a'r Pelican a Fi
Y Twits
Cerddi Ffiaidd
Penillion Ach-a-fi

I ddarllenwyr hŷn

Yr CMM
Charlie a'r Ffatri Siocled
Charlie a'r Esgynnydd Mawr Gwydr
James a'r Eirinen Wlanog Enfawr
Matilda
Y Gwrachod
Danny Pencampwr y Byd
Pastai Odl

Dymuna'r cyhoeddwyr gydnabod cymorth
Adrannau Cyngor Llyfrau Cymru.

ROALD DAHL

Charlie a'r Ffatri Siocled

Darluniau gan Quentin Blake

Cyfieithiad gan Elin Meek

CHARLIE A'R FFATRI SIOCLED
ISBN: 978-1-84967-3440

Cyfieithiad gan Elin Meek

Cyhoeddwyd yn wreiddiol yn Saesneg fel *Charlie and the Chocolate Factory*

Cysodwyd mewn 12/13pt Baskerville
gan Wasg Dinefwr, Llandybie, Sir Gaerfyrddin

Cyhoeddwyd gan Rily Publications Ltd
Rily Publications, Blwch Post 257, Caerffili CF83 9FL
www.rily.co.uk

Argraffwyd a rhwymwyd ym Mhrydain gan
CPI Group (UK) Ltd, Croydon CR0 4YY

I Theo

Cynnwys

Mae pump o blant yn y llyfr hwn:

AUGUSTUS GLOOP
Bolgi

VERUCA SALT
Merch sy'n cael ei difetha'n rhacs gan ei rhieni

VIOLET BEAUREGARDE
Merch sydd â gwm cnoi yn ei cheg drwy'r dydd gwyn

MIKE TEAVEE
Bachgen sy'n gwneud dim byd ond gwylio'r teledu

a

CHARLIE BUCKET
Yr arwr

1

Dyma Charlie'n Dod

Mam a thad Mr Bucket yw'r ddau hen, hen berson hyn. Tad-cu Joe a Mam-gu Josephine yw eu henwau nhw.

A mam a thad Mrs Bucket yw'r ddau hen, hen berson *hyn*. Tad-cu George a Mam-gu Georgina yw eu henwau nhw.

Dyma Mr Bucket. Dyma Mrs Bucket.

Mae gan Mr a Mrs Bucket fab bychan o'r enw Charlie Bucket.

Dyma Charlie.

Shwmai? A shwmai? A shwmai unwaith eto? Mae e'n falch o gael cwrdd â ti.

Mae'r teulu hwn i gyd – y chwe oedolyn (cyfra nhw) a Charlie Bucket bach – yn byw gyda'i gilydd mewn tŷ pren bychan ar gyrion tref fawr.

Doedd y tŷ ddim yn hanner digon mawr ar gyfer cymaint o bobl, ac roedd bywyd yn hynod anghyfforddus iddyn nhw i gyd. Dim ond dwy ystafell oedd yn y lle i gyd, a dim ond un gwely. Roedd y ddau dad-cu a'r ddwy fam-gu'n cael y gwely achos eu bod nhw mor hen a blinedig. Roedden nhw mor flinedig fel nad oedden nhw byth yn codi ohono fe.

Roedd Tad-cu Joe a Mam-gu Josephine ar yr ochr hon, a Tad-cu George a Mam-gu Georgina ar yr ochr draw.

Roedd Mr a Mrs Bucket a Charlie Bucket bach yn cysgu yn yr ystafell arall, ar fatresi ar y llawr.

Yn yr haf, doedd dim cymaint o wahaniaeth, ond yn y gaeaf, chwythai drafftiau rhewllyd o oer dros y llawr drwy'r nos, ac roedd hi'n ofnadwy.

Allen nhw ddim meddwl am brynu tŷ gwell – nac un gwely arall i gysgu ynddo hyd yn oed. Roedden nhw'n llawer rhy dlawd.

Mr Bucket oedd yr unig berson yn y tŷ oedd yn gweithio. Gweithiai yn y ffatri pâst dannedd, lle'r eisteddai drwy'r dydd wrth fainc yn gosod y topiau bach ar diwbiau pâst dannedd ar ôl i'r tiwbiau gael eu llenwi. Ond dydy rhywun sy'n gosod topiau pâst dannedd ddim yn ennill llawer o arian, a doedd Mr Bucket, waeth pa mor gyflym roedd e'n gosod y topiau, byth yn gallu gwneud digon i brynu hanner y pethau roedd eu hangen ar deulu mor fawr. Doedd dim digon o arian i brynu bwyd iawn iddyn nhw i gyd, hyd yn oed. Yr unig brydau bwyd y gallen nhw eu fforddio oedd bara a margarîn i frecwast, tatws a bresych wedi'u berwi i ginio, a chawl bresych i swper. Roedd dydd Sul ychydig yn well. Edrychai pob un ymlaen at ddydd Sul, achos ar y diwrnod hwnnw, er mai'r un bwyd yn union roedden nhw'n ei gael, roedd hawl gan bawb i gael ail blataid.

Doedd y Buckets, wrth gwrs, ddim yn llwgu, ond roedd gan bob un ohonyn nhw, y ddau dad-cu, y ddwy fam-gu, tad Charlie, mam Charlie ac yn enwedig Charlie bach ei hunan, deimlad gwag ofnadwy yn eu boliau o fore gwyn tan nos.

Charlie oedd yn teimlo hyn waethaf. Er bod ei fam a'i dad yn aml yn rhoi eu siâr nhw iddo fe amser cinio neu swper, doedd hynny'n dal ddim yn ddigon i fachgen bach oedd yn tyfu. Ysai am rywbeth fyddai'n ei lenwi'n well na bresych a chawl bresych. A'r peth yr ysai amdano'n fwy nag unrhyw beth arall oedd … SIOCLED.

Wrth gerdded i'r ysgol yn y bore, gallai Charlie weld slabiau mawr o siocled yn bentyrrau uchel yn ffenestri'r siopau, a byddai'n aros gan syllu a gwasgu ei drwyn yn erbyn y gwydr, a dŵr yn dod o'i ddannedd. Sawl gwaith y dydd, byddai'n gweld plant eraill yn tynnu bariau o siocled hufennog o'u pocedi ac yn eu bwyta'n awchus, ac roedd *hynny*, wrth gwrs, yn artaith *pur*.

Dim ond unwaith y flwyddyn, ar ei ben-blwydd, y câi Charlie Bucket fyth brofi ychydig o siocled. Byddai'r teulu i gyd yn cynilo eu harian ar gyfer yr achlysur arbennig hwnnw, a phan fyddai'r diwrnod mawr yn cyrraedd, byddai Charlie bob amser yn cael un baryn bach o siocled i'w fwyta ar ei ben ei hunan bach. A phob tro y byddai'n ei dderbyn, ar foreau gwych ei ben-blwydd, byddai'n ei ddodi'n ofalus mewn bocs bach pren roedd e'n berchen arno, a'i drysori fel petai'n ddarn o aur pur; a thros yr ychydig ddyddiau nesaf, dim ond gadael i'w hunan edrych arno byddai'n ei wneud, ond heb byth gyffwrdd ag e. Yna, o'r diwedd, pan na allai ddioddef mwy, byddai'n tynnu tamaid *bach, bach* o'r papur lapio ar un gornel fel bod darn *bach, bach* o siocled yn y golwg, ac yna byddai'n cnoi'n *fân, fân* – dim ond digon i adael i'r blas melys hyfryd ymledu'n araf dros ei dafod. Y diwrnod canlynol, byddai'n cnoi'n fân, fân eto, ac yn y blaen, ac yn y blaen. Ac fel hyn, byddai Charlie'n gwneud i'w faryn siocled gwerth chwe cheiniog bara am fwy na mis.

Ond dydw i ddim wedi dweud wrthoch chi eto am yr un peth ofnadwy oedd yn artaith i Charlie bach, ac yntau'n dwlu ar siocled, yn fwy na *dim* arall. Roedd y peth hwn yn waeth o lawer iddo fe na gweld slabiau o siocled yn ffenestri'r siopau neu wylio plant eraill yn cnoi bariau o siocled hufennog yn union o'i flaen. Dyma'r peth mwyaf ofnadwy o arteithiol y gallech chi ei ddychmygu, a dyma fe:

Yn y dref ei hun, a dweud y gwir o fewn *golwg* y tŷ lle roedd Charlie'n byw, roedd FFATRI SIOCLED ENFAWR!

Dychmygwch y fath beth!

Ac nid dim ond ffatri siocled enfawr gyffredin oedd hi, chwaith. Hon oedd y ffatri fwyaf ac enwocaf yn y byd i gyd! FFATRI WONKA oedd hi, a'i pherchennog oedd Mr Wili Wonka, y dyfeisiwr a'r gwneuthurwr siocled enwocaf a fuodd erioed. A dyna ffatri anhygoel o wych oedd hi! Roedd gatiau haearn anferth yn arwain i mewn, a wal uchel yn ei hamgylchynu, a mwg yn chwydu o'i simneiau, a synau chwyrlïo rhyfedd yn dod o'i chrombil. A thu hwnt i'r waliau, am hanner milltir o'i chwmpas i bob cyfeiriad, roedd yr awyr yn drwch o arogl trwm a chyfoethog siocled yn toddi!

Ddwywaith y dydd, ar ei ffordd i'r ysgol ac ar ei ffordd adref, roedd rhaid i Charlie Bucket bach gerdded yn union o flaen gatiau'r ffatri. A phob tro y byddai'n mynd heibio, byddai'n dechrau cerdded yn araf iawn, iawn, a dal ei drwyn yn uchel yn yr awyr a ffroeni'r arogl siocled hyfryd o'i gwmpas yn ddwfn i'w ysgyfaint.

O, roedd e'n dwlu ar yr arogl yna!

Ac o, byddai wrth ei fodd yn cael mynd i mewn i'r ffatri i weld pa fath o le oedd yno!

2

Ffatri Mr Wili Wonka

Bob noson, ar ôl iddo orffen ei gawl bresych dyfrllyd i swper, byddai Charlie bob amser yn mynd i ystafell ei ddau dad-cu a'i ddwy fam-gu i wrando ar eu straeon, ac yna'n dweud nos da.

Roedd pob un o'r hen bobl hyn dros ei naw deg oed. Roedden nhw wedi crebachu fel eirin sych, ac yn esgyrnog fel sgerbydau, a thrwy'r dydd, tan i Charlie ymddangos, byddent yn cwtsho yn eu gwely, dau ar bob pen, gyda chap nos i gadw eu pennau'n gynnes, gan hepian cysgu drwy'r amser heb ddim i'w wneud. Ond cyn gynted ag y clywent y drws yn agor, a chlywed llais Charlie'n dweud, 'Noswaith dda, Tad-cu Joe a Mam-gu Josephine a Tad-cu George a Mam-gu Georgina,' yna codai'r pedwar ohonynt ar eu heistedd yn sydyn, a byddai eu hen wynebau crychiog yn goleuo'n wên hapus – a byddai'r siarad yn dechrau. Roedden nhw'n caru'r bachgen bach yma. Fe oedd yr unig beth disglair yn eu bywydau nhw, ac edrychent ymlaen yn awchus drwy'r dydd at ei ymweliadau gyda'r nos. Byddai mam a thad Charlie'n dod i mewn yn aml, ac aros wrth y drws, gan wrando ar y straeon roedd yr hen bobl yn eu hadrodd; ac felly, am hanner awr bob nos efallai, byddai'r ystafell hon yn dod yn lle hapus, a'r teulu i gyd yn anghofio eu bod yn llwgu ac yn dlawd.

Un noson, pan aeth Charlie i mewn i weld ei ddwy fam-gu a'i ddau dad-cu, gofynnodd iddyn nhw, 'Ydy hi'n wir *go iawn* mai Ffatri Siocled Wonka yw'r fwyaf yn y byd?'

'*Yn wir?*' gwaeddodd y pedwar ohonyn nhw ar unwaith. 'Wrth gwrs ei bod hi'n wir! Arswyd y byd, wyddet ti mo *hynny*? Mae hi tua *phum deg* gwaith yn fwy nag unrhyw ffatri arall!'

'Ac ai Mr Wili Wonka *wir* yw'r gwneuthurwr siocled clyfraf yn y byd?'

'Fachgen *annwyl*,' meddai Tad-cu Joe, gan godi ei hun ychydig yn uwch ar ei obennydd, 'Mr Wili Wonka yw'r gwneuthurwr siocled mwyaf *anhygoel*, mwyaf *rhyfeddol*, mwyaf *hynod* welodd y byd erioed! Ro'n i'n meddwl bod *pawb* yn gwybod hynny!'

'Ro'n i'n gwybod ei fod e'n enwog, Tad-cu Joe, ac ro'n i'n gwybod ei fod e'n glyfar iawn ...'

'*Clyfar!*' gwaeddodd yr hen ddyn. 'Mae e'n fwy na hynny! Mae e'n *ddewin* wrth drin siocled! Mae'n gallu gwneud *unrhyw beth* – unrhyw beth mae e eisiau! On'd yw hynny'n ffaith, bawb?'

Nodiodd y tri hen berson arall eu pennau'n araf i fyny ac i lawr a dweud, '*Cwbl* wir. Mor wir â phader.'

Ac meddai Tad-cu Joe, 'Wyt ti'n golygu nad ydw i erioed wedi *dweud* wrthot ti am Mr Wili Wonka a'i ffatri?'

'Erioed,' atebodd Charlie bach.

'Arswyd y byd! Beth yn y byd sy'n bod arna i, dwed!'

'Ddwedi di wrtha i nawr, Tad-cu Joe, os gweli di'n dda?'

'Wrth gwrs y gwnaf i. Eistedd ar fy mhwys i ar y gwely, cariad, a gwrandawa'n astud.'

Tad-cu Joe oedd yr hynaf o'r ddau dad-cu a'r ddwy fam-gu. Roedd e'n naw deg chwech a hanner oed, ac mae hynny mor hen ag y gall unrhyw un fod. Fel pob person hen iawn, roedd e'n fregus ac yn wan, ac yn ystod y dydd fyddai fe ddim yn siarad llawer. Ond gyda'r nos, pan fyddai Charlie, ei ŵyr annwyl, yn yr ystafell, roedd e fel tasai'n dod yn ifanc unwaith eto mewn rhyw ffordd ryfedd. Roedd ei holl flinder yn ei adael, ac roedd e'n dod mor frwd a chyffrous â bachgen ifanc.

'O, dyna ddyn yw e, yr hen Mr Wili Wonka!' meddai Tad-cu Joe. 'A wyddet ti, er enghraifft, ei fod e ei hunan wedi dyfeisio mwy na dau gant o fathau o fariau siocled, pob un ohonyn nhw â rhywbeth gwahanol yn y canol, pob un ohonyn nhw'n llawer mwy melys a hufennog a blasus nag unrhyw beth y gall y ffatrïoedd siocled eraill eu gwneud?'

'Cwbl wir!' gwaeddodd Mam-gu Josephine. 'Ac mae'n eu danfon nhw i *bedwar ban* y byd! On'd yw hynny'n wir, Tad-cu Joe?'

'Ydy, ydy, cariad. Ac at bob brenin ac arlywydd yn y byd hefyd. Ond nid dim ond bariau siocled maen e'n eu gwneud. O'r annwyl, nage wir! Mae ganddo fe ddyfeisiadau gwirioneddol *wych* ar y gweill, yr hen Mr Wili Wonka! Wyddet ti ei fod e wedi dyfeisio ffordd o wneud hufen iâ siocled fel ei fod e'n dal yn oer am oriau ac oriau heb fod yn yr oergell? Mae'n bosib i ti ei adael e yn llygad yr haul drwy'r bore ar ddiwrnod braf, a fydd e ddim yn rhedeg!'

'Ond mae hynny'n *amhosibl!*' meddai Charlie bach, gan syllu ar ei dad-cu.

'Wrth gwrs ei fod e'n amhosibl!' gwaeddodd

Tad-cu Joe. 'Mae'r peth yn gwbl *ynfyd*! Ond mae Mr Wili Wonka wedi llwyddo!'

'Eitha gwir!' cytunodd y lleill, gan nodio eu pennau. 'Mae Mr Wili Wonka wedi llwyddo.'

'Ac ar ben hynny,' dechreuodd Tad-cu Joe siarad yn araf bach nawr fel na fyddai Charlie'n colli gair, 'mae Mr Wili Wonka'n gallu gwneud malws melys sy'n blasu fel fioledau, a losin caramel cyfoethog sy'n newid eu lliw bob deg eiliad wrth i ti eu sugno nhw, a losin bach fel plu sy'n toddi'n flasus yr eiliad rwyt ti'n eu rhoi nhw rhwng dy wefusau. Mae'n gallu gwneud gwm cnoi sydd byth yn colli ei flas, a balwnau siwgr rwyt ti'n gallu eu chwythu nes eu bod nhw'n enfawr cyn i ti eu pigo â phìn a'u llowcio nhw. A hefyd, mae dull hynod gyfrinachol gyda fe o wneud wyau adar glas a smotiau du arnyn nhw, a phan fyddi di'n rhoi un o'r rhain yn dy geg, mae e'n mynd yn llai ac yn llai'n raddol nes yn sydyn does dim ar ôl ond aderyn bach siwgr pinc yn eistedd ar flaen dy dafod.'

Oedodd Tad-cu Joe a rhedeg blaen ei dafod yn araf dros ei wefusau. 'Mae'n tynnu dŵr o'm dannedd dim ond i mi *feddwl* amdano fe,' meddai.

'A finnau hefyd,' meddai Charlie bach. 'Ond *plîs*, dwed fwy wrtha i.'

Wrth iddyn nhw siarad, roedd Mr a Mrs Bucket, mam a thad Charlie, wedi dod i mewn i'r ystafell yn dawel, ac roedd y ddau nawr yn sefyll yn union y tu mewn i'r drws, yn gwrando.

'Dwed wrth Charlie am y tywysog gwallgof yna o'r India,' meddai Mam-gu Josephine. 'Fe fydde fe'n hoffi clywed am hwnnw.'

'Tywysog Pondiceirios?' meddai Tad-cu Joe a dechrau chwerthin yn uchel.

'Dyn gwirion bost!' meddai Tad-cu George.

'Ond cyfoethog *iawn,*' meddai Mam-gu Georgina.

'Ga i glywed ei hanes e?' gofynnodd Charlie'n awyddus.

'Gwrandawa di,' meddai Tad-cu Joe, 'ac fe ddweda i wrthot ti.'

3

Mr Wonka a'r Tywysog o'r India

'Ysgrifennodd Tywysog Pondiceirios lythyr at Mr Wili Wonka,' meddai Tad-cu Joe, 'a gofyn iddo ddod yr holl ffordd i India i adeiladu palas anferth iddo fe, wedi'i wneud o siocled i gyd.'

'Wnaeth Mr Wonka hynny, Dad-cu?'

'Do'n wir i ti. A dyna balas gwych oedd e! Roedd cant o ystafelloedd ynddo fe, ac roedd *popeth* wedi'i wneud naill ai o siocled tywyll neu siocled golau! Roedd y brics o siocled, a sment o siocled i'w dal wrth ei gilydd, ac roedd y ffenestri, y waliau a'r nenfydau i gyd o siocled, a'r carpedi a'r lluniau a'r dodrefn a'r gwelyau hefyd; a phan fyddet ti'n agor y tapiau yn yr ystafell ymolchi, byddai siocled poeth yn arllwys ohonyn nhw.

'Pan oedd popeth wedi'i orffen, dywedodd Mr Wonka wrth y Tywysog Pondiceirios, "Rhaid i mi eich rhybuddio, cofiwch, na fydd e'n para'n hir iawn, felly gwell i chi ddechrau ei fwyta fe'n syth."

"Peidiwch â siarad dwli!" gwaeddodd y Tywysog. "Dwi ddim yn mynd i fwyta fy mhalas! Dwi ddim hyd yn oed yn mynd i gnoi'r grisiau na llyfu'r waliau! Dwi'n mynd i *fyw* ynddo fe!"

'Ond roedd Mr Wonka'n iawn, wrth gwrs, achos

yn fuan wedyn, daeth diwrnod poeth iawn a'r haul yn eirias, a dechreuodd yr holl balas doddi, ac yna suddodd yn araf i'r llawr, a dihunodd y tywysog gwallgof, a oedd yn hepian cysgu yn yr ystafell fyw ar y pryd, a gweld ei fod yn nofio o gwmpas mewn llyn brown gludiog enfawr o siocled.'

Eisteddai Charlie bach yn gwbl lonydd ar erchwyn y gwely, gan syllu ar ei dad-cu. Roedd wyneb Charlie'n disgleirio, ac roedd ei lygaid mor fawr fel y gallet ti weld gwyn ei lygaid i gyd. 'Ydy hyn i gyd yn wir *go iawn*?' gofynnodd. 'Neu ai tynnu fy nghoes i rwyt ti?'

'Mae'n wir!' gwaeddodd y pedwar hen berson gyda'i gilydd. 'Wrth gwrs ei fod e'n wir! Gofyn di i unrhyw un!'

'Ac fe ddyweda i rywbeth arall wrthot ti sy'n wir,' meddai Tad-cu Joe, gan bwyso'n nes at Charlie, a gostwng ei lais i sibrwd yn dawel a chyfrinachol. '*Does neb … byth … yn … dod … mas!*'

'Mas o ble?' gofynnodd Charlie.

'*A does … neb … byth … yn … mynd … i … mewn!*'

'I mewn *i ble*?' gwaeddodd Charlie.

'I ffatri Wonka, wrth gwrs!'

'Dad-cu, beth *wyt* ti'n feddwl?'

'*Gweithwyr*, Charlie bach.'

'Gweithwyr?'

'Mae gan bob ffatri,' meddai Tad-cu Joe, 'weithwyr yn llifo i mewn a mas o'r gatiau bob bore a nos – heblaw am ffatri Wonka! Wyt *ti* erioed wedi gweld unrhyw un yn mynd i mewn i'r lle 'na – neu'n dod mas?'

Edrychodd Charlie bach yn araf ar bob un o'r

pedwar hen wyneb, y naill ar ôl y llall, ac edrychodd y pedwar 'nôl arno fe. Roedden nhw'n wynebau cyfeillgar â gwên arnyn nhw, ond roedden nhw hefyd yn gwbl o ddifrif. Doedd dim un ohonyn nhw'n edrych fel petai'n chwerthin am ei ben neu'n tynnu ei goes.

'Wel? Wyt *ti*?' gofynnodd Tad-cu Joe.

'Dwi … dwi ddim wir yn gwybod, Dad-cu,' meddai Charlie'n ansicr. 'Pryd bynnag dwi'n cerdded heibio i'r ffatri, mae'r gatiau wastad ar gau.'

'Yn union!' meddai Tad-cu Joe.

'Ond *rhaid* bod pobl yn gweithio yno …'

'Nid *pobl*, Charlie. Nid pobl *arferol*, ta beth.'

'Pwy, 'te?' gwaeddodd Charlie.

'A – ha … Dyna fe, ti'n gweld … Dyna un arall o syniadau clyfar Mr Wili Wonka.'

'Charlie, cariad,' galwodd Mrs Bucket oedd yn sefyll wrth y drws, 'mae'n amser gwely. Dyna ddigon am heno.'

'Ond, mam, *rhaid* i mi gael clywed …'

'Fory, cariad bach …'

'Dyna ni,' meddai Tad-cu Joe, 'Fe ddyweda i weddill y stori wrthot ti nos fory.'

4

Y Gweithwyr Cyfrinachol

Y noson ganlynol, aeth Tad-cu Joe ymlaen â'i stori.

'Ti'n gweld, Charlie,' meddai, 'hyd yn ddiweddar iawn roedd miloedd o bobl yn arfer gweithio yn ffatri Mr Wili Wonka. Yna, un diwrnod, yn sydyn reit, roedd rhaid i Mr Wonka ofyn i *bob un wan jac ohonyn nhw* adael, a mynd adre, a pheidio byth â dod 'nôl.'

'Ond pam?' gofynnodd Charlie.

'Achos bod ysbïwyr yno.'

'Ysbïwyr?'

'Ie. Roedd yr holl wneuthurwyr siocled eraill, ti'n gweld, wedi dechrau mynd yn eiddigeddus o'r losin gwych roedd Mr Wonka yn eu gwneud, a dechreuon nhw ddanfon ysbïwyr i'r ffatri i ddwyn ei ryseitiau cyfrinachol. Cymerodd yr ysbïwyr swyddi yn ffatri Wonka, gan esgus mai gweithwyr cyffredin oedden nhw, a thra eu bod nhw yno, daeth pob un ohonyn nhw i wybod yn union sut roedd un peth arbennig yn cael ei wneud.'

'Ac aethon nhw'n ôl i'w ffatrïoedd eu hunain a dweud?' gofynnodd Charlie.

'Rhaid eu bod nhw wedi,' atebodd Tad-cu Joe, 'achos yn fuan wedi hynny, dechreuodd ffatri Fickelgruber wneud hufen iâ na fyddai byth yn toddi, hyd yn oed yn yr haul poethaf. Yna daeth ffatri Mr Prodnose allan â gwm cnoi na fyddai byth yn colli ei flas dim ots faint fyddet ti'n ei gnoi e. Ac yna dechreuodd ffatri Mr Slugworth wneud balwnau siwgr y gallet ti eu chwythu'n enfawr cyn eu pigo â phìn a'u llowcio bob tamaid. Ac yn y blaen, ac yn y blaen. Ac aeth Mr Wili Wonka'n wyllt a gweiddi, "Mae hyn yn ddychrynllyd! Bydd popeth yn mynd i'r gwellt! Mae ysbïwyr ym mhobman! Bydd rhaid i mi gau'r ffatri!"

'Ond wnaeth e mo hynny!" meddai Charlie.

'O, do'n wir. Dywedodd e wrth y gweithwyr *i gyd* ei bod hi'n ddrwg calon ganddo, ond y byddai'n rhaid iddyn nhw fynd adre. Yna, caeodd y prif gatiau a'u cloi â chadwyn. Ac yn sydyn, aeth ffatri siocled enfawr Wonka'n dawel fel y bedd. Ddaeth dim mwy o fwg o'r simneiau, peidiodd y peiriannau â chwyrlïo, ac o hynny ymlaen, chafodd dim un tamaid o siocled na'r un losinen ychwaith

ei gwneud. Aeth dim enaid byw i mewn nac allan, a diflannodd Mr Wili Wonka ei hun yn gyfan gwbl.

'Aeth misoedd ar fisoedd heibio,' aeth Tad-cu Joe yn ei flaen, 'ond arhosodd y ffatri ar gau. Ac meddai pawb, "Druan o Mr Wonka. Roedd e'n ddyn mor neis. Ac roedd e'n arfer gwneud pethau mor wych. Ond mae e wedi rhoi'r gorau iddi nawr. Mae'r cyfan wedi dod i ben."

'Yna, digwyddodd rhywbeth rhyfeddol. Un diwrnod, yn gynnar yn y bore, gwelwyd colofnau tenau o fwg gwyn yn codi o simneiau tal y ffatri! Stopiodd pobl yn y dref yn stond a syllu. "Beth sy'n digwydd?" gwaeddon nhw. "Mae rhywun wedi cynnau'r ffwrneisi! Rhaid bod Mr Wonka'n agor y ffatri unwaith eto!" Rhedon nhw i'r gatiau, gan ddisgwyl eu gweld nhw ar agor led y pen a Mr Wonka'n aros yno i groesawu ei weithwyr yn ôl.

'Ond na! Roedd y gatiau haearn mawr yn dal ar glo ac wedi'u cadwyno mor ddiogel ag erioed, a doedd dim sôn am Mr Wonka.

'"Ond mae'r ffatri *yn* gweithio!" gwaeddai'r bobl. "Gwrandewch! Mae'r peiriannau i'w clywed! Maen nhw'n chwyrlïo unwaith eto! Ac fe allwch chi wynto arogl siocled wedi toddi yn yr awyr!"'

Pwysodd Tad-cu Joe ymlaen a dodi bys hir esgyrnog ar ben-lin Charlie, ac meddai'n dawel, 'Ond y dirgelwch mwyaf, Charlie, oedd y cysgodion yn ffenestri'r ffatri. Gallai'r bobl oedd yn sefyll ar y stryd y tu allan weld cysgodion bychain tywyll yn symud o gwmpas y tu ôl i'r ffenestri gwydr barugog.'

'Cysgodion pwy?' meddai Charlie'n gyflym.

'Dyna'n union beth roedd pawb arall eisiau ei wybod.

'"Mae'r lle'n llawn gweithwyr!" gwaeddai'r bobl. "Ond does neb wedi mynd i mewn! Mae'r gatiau ar glo! Mae'r peth yn hurt! Does neb byth yn dod mas, chwaith!"

'Ond doedd dim unrhyw amheuaeth,' meddai Tad-cu Joe. 'Roedd y ffatri'n bendant ar waith. Ac mae hi wedi bod ar waith fyth ers hynny, am y deng mlynedd diwethaf hyn. Ac yn fwy na hynny, mae'r siocled a'r losin mae hi wedi bod yn eu cynhyrchu wedi dod yn fwy rhyfeddol a blasus o hyd. A nawr wrth gwrs pan fydd Mr Wonka'n dyfeisio rhyw losin newydd a gwych, all Mr Fickelgruber na Mr Prodnose na Mr Slugworth na neb arall ei gopïo. All dim ysbiwyr fynd i mewn i'r ffatri i weld sut maen nhw'n cael eu gwneud.'

'Ond Dad-cu, *pwy*,' gwaeddodd Charlie, '*pwy* mae Mr Wonka'n ei ddefnyddio i wneud yr holl waith yn y ffatri?'

'Does neb yn gwybod, Charlie.'

'Ond mae hynna'n *hurt*! Does neb wedi gofyn i Mr Wonka?'

'Fydd neb yn ei weld e nawr. Fydd e byth yn dod mas. Yr unig bethau sy'n dod mas o'r lle 'na yw siocledi a losin. Maen nhw'n dod mas drwy ddrws arbennig yn y wal, wedi'u pacio a'r cyfeiriad arnyn nhw, ac maen nhw'n cael eu codi bob dydd gan faniau'r Swyddfa Bost.'

'Ond Dad-cu, pa *fath* o bobl sy'n gweithio yno?'

'Fachgen annwyl,' meddai Tad-cu Joe, 'dyna un o ddirgelion mawr y byd gwneud siocled. Dim ond un peth rydyn ni'n ei wybod amdanyn nhw. Rhai bach iawn ydyn nhw. Mae'r cysgodion gwan sydd weithiau'n ymddangos y tu ôl i'r ffenestri, yn enwedig yn hwyr y nos pan fydd y goleuadau ynghynn, yn perthyn i bobl *bitw bach*, pobl fawr talach na 'mhen-glin i ...'

'Ond does dim pobl o'r fath yn bod,' meddai Charlie.

Yr eiliad honno, daeth Mr Bucket, tad Charlie, i'r ystafell. Roedd e wedi dod adre o'r ffatri gwneud pâst dannedd ac roedd e mewn tipyn o gyffro wrth chwifio papur newydd hwyrol. 'Ydych chi wedi clywed y newyddion?' gwaeddodd. Daliodd y papur yn uchel er mwyn iddyn nhw allu gweld y pennawd enfawr. Meddai'r pennawd:

FFATRI WONKA I GAEL EI HAGOR O'R DIWEDD I'R YCHYDIG LWCUS

5

Y Tocynnau Aur

'Wyt ti'n golygu bod pobl yn mynd i gael mynd i mewn i'r ffatri?' gwaeddodd Tad-cu Joe. 'Darllen beth mae'n ei ddweud wrthon ni – glou!"

'Iawn,' meddai Mr Bucket, gan lyfnhau'r papur. 'Gwrandewch.'

Y Bwletin Hwyrol

Anfonodd Mr Wili Wonka, y gwneuthurwr losin athrylithgar nad oes neb wedi ei weld ers deng mlynedd, y neges ganlynol heddiw:

Rydw i, Wili Wonka, wedi penderfynu gadael i bump o blant – dim ond pump, cofiwch, a dim mwy – i ymweld â'm ffatri eleni. Byddaf i'n bersonol yn tywys y pump lwcus hyn o gwmpas y ffatri, a byddan nhw'n cael gweld holl gyfrinachau a hud a lledrith fy ffatri. Yna, ar ddiwedd y daith, yn anrheg arbennig, bydd pob un ohonyn nhw'n cael digon o siocledi a losin i bara gweddill eu hoes! Felly chwiliwch am y Tocynnau Aur! Mae pum Tocyn Aur wedi cael eu hargraffu ar bapur aur, ac mae'r

Tocynnau Aur hyn wedi cael eu cuddio o dan bapur lapio arferol pum baryn cyffredin o siocled. Gall y pum baryn siocled hyn fod yn unrhyw le – mewn unrhyw siop mewn unrhyw stryd mewn unrhyw dref mewn unrhyw wlad yn y byd – ar unrhyw gownter lle mae Losin Wonka'n cael eu gwerthu. A'r pum person lwcus fydd yn dod o hyd i'r pum Tocyn Aur hyn yw'r unig rai fydd yn cael dod i ymweld â'm ffatri a gweld sut le sydd yno nawr. Pob lwc i chi i gyd, a mwynhewch y chwilio! (Arwyddwyd Wili Wonka.)

'Dyw'r dyn ddim yn gall!' mwmianodd Mam-gu Josephine.

'Athrylith yw e!' gwaeddodd Tad-cu Joe. 'Dewin yw e! Dychmygwch beth fydd yn digwydd nawr! Bydd y byd i gyd yn chwilio am y Tocynnau Aur yna! Bydd pawb yn prynu bariau siocled Wonka gan obeithio y byddan nhw'n dod o hyd i un ohonyn nhw! Bydd e'n gwerthu mwy nag erioed! O, bydde hi mor gyffrous dod o hyd i un!'

'A chael yr holl siocled a'r losin y gallech chi eu bwyta weddill eich oes – *am ddim*!' meddai Tad-cu George. 'Dychmygwch hynny!'

'Byddai rhaid iddyn nhw ddod â nhw mewn lorri!' meddai Mam-gu Georgina.

'Dwi'n teimlo'n dost wrth feddwl am y peth,' meddai Mam-gu Josephine.

'Paid â siarad dwli!' gwaeddodd Tad-cu Joe. 'Dyna *braf* fyddai hi, Charlie, i agor baryn o siocled a gweld Tocyn Aur yn disgleirio ynddo fe!'

'Byddai'n wir, Dad-cu. Ond does dim gobaith

gyda fi,' meddai Charlie'n drist. 'Dim ond un baryn o siocled y flwyddyn dwi'n ei gael.'

'Dwyt ti byth yn gwybod, cariad,' meddai Mam-gu Georgina. 'Mae hi'n ben-blwydd arnat ti'r wythnos nesaf. Mae cystal siawns ag unrhyw un gyda ti.'

'Mae arna i ofn nad ydy hynny'n wir,' meddai Tad-cu George. 'Y plant sy'n gallu fforddio prynu bariau o siocled bob dydd yw'r rhai fydd yn dod o hyd i'r Tocynnau Aur. Dim ond un y flwyddyn mae Charlie ni'n ei gael. Does dim gobaith caneri gyda fe.'

6

Y Ddau Gyntaf i Ddod o Hyd i Docyn Aur

Y diwrnod canlynol, yn wir, daeth rhywun o hyd i'r Tocyn Aur cyntaf. Bachgen o'r enw Augustus Gloop oedd yr un a ddaeth o hyd iddo, ac roedd llun mawr ohono ar dudalen flaen papur hwyrol Mr Bucket. Roedd y llun yn dangos bachgen naw mlwydd oed a oedd mor anhygoel o dew, roedd e'n edrych fel petai wedi cael ei chwythu i fyny gan bwmp pwerus. Roedd tonnau mawr o floneg yn gwthio allan o bob rhan o'i gorff, ac roedd ei wyneb fel pelen anferth o does gyda dau lygad bach barus fel cyrains yn syllu ar y byd. Roedd y dref lle roedd Augustus Gloop yn byw, yn ôl y papur, wedi mynd yn wyllt o gyffrous am eu harwr. Roedd baneri'n cyhwfan o'r ffenestri i gyd, roedd plant wedi cael gwyliau o'r ysgol, ac roedd gorymdaith wedi'i threfnu er anrhydedd i'r bachgen enwog.

'Ro'n i'n *gwybod* y byddai Augustus yn dod o hyd i Docyn Aur,' roedd ei fam wedi dweud wrth y dynion papur newydd. 'Mae e'n bwyta *cymaint* o fariau siocled bob dydd fel ei bod hi bron yn *amhosibl* iddo *beidio* dod o hyd i un. Bwyta yw ei ddiddordeb, wyddoch chi. Dyna'r *cyfan* mae ganddo ddiddordeb ynddo. Ond dyna ni, mae hynny'n

well na bod yn *hwligan* a saethu *dryllau awyr* a phethau fel 'na yn ei amser hamdden, on'd yw hi? A'r hyn dwi wastad yn ei ddweud yw na fyddai e ddim yn bwyta o hyd fel bydd e oni bai fod *angen* maeth arno fe, na fyddai? *Fitaminau* yw e i gyd, beth bynnag. Bydd hi'n *wefr* o'r mwyaf iddo fe gael ymweld â ffatri ryfeddol Mr Wonka! Rydyn ni mor *falch*!'

'Dyna fenyw ffiaidd,' meddai Mam-gu Josephine.

'A dyna fachgen atgas,' meddai Mam-gu Georgina.

'Dim ond pedwar Tocyn Aur sydd ar ôl,' meddai Tad-cu George. 'Sgwn i pwy gaiff y *rheiny?*'

A nawr roedd y wlad i gyd – yn wir, y byd i gyd – yn sydyn wedi dechrau prynu siocled fel ffyliaid, a phawb yn chwilio'n wyllt am y tocynnau gwerthfawr yna oedd ar ôl. Roedd menywod i'w gweld yn mynd i siopau losin ac yn prynu deg baryn Wonka ar y tro, yna'n rhwygo'r papur lapio yn y fan a'r lle ac yn edrych yn awchus oddi tano am bapur aur yn disgleirio. Roedd plant yn mynd â morthwylion ac yn chwalu eu cadw-mi-gei ac yn rhedeg allan i'r siopau gyda llond dwrn o arian. Mewn un ddinas, torrodd un lleidr enwog i fanc a lladrata mil o bunnoedd a gwario'r cyfan i gyd ar fariau siocled Wonka'r un prynhawn. A phan ddaeth yr heddlu i mewn i'w dŷ i'w arestio, dyna lle roedd e'n eistedd ar y llawr ynghanol mynyddoedd o siocled, yn rhwygo'r papur lapio â llafn cyllell hir. Yn Rwsia bell, honnodd menyw o'r enw Charlotte Russe ei bod wedi dod o hyd i'r ail docyn, ond mae'n debyg mai tocyn ffug clyfar oedd e. Dyfeisiodd y gwyddonydd enwog o Loegr, Professor Foulbody, beiriant a allai ddweud wrthych chi ar unwaith, heb agor y papur am y darn o siocled, a oedd Tocyn Aur wedi'i guddio oddi tano ai peidio. Roedd gan y peiriant fraich fecanyddol oedd yn saethu allan â nerth anhygoel ac yn cydio'n dynn mewn unrhyw beth oedd â'r tamaid lleiaf o aur ynddo, ac am eiliad, edrychai fel pe bai'n ateb i bopeth. Ond, yn anffodus, wrth i'r Athro frolio'r peiriant a'i ddangos i'r cyhoedd mewn siop fawr, saethodd y fraich fecanyddol allan a cheisio cydio yn llenwad aur un o ddannedd cyflwynwraig deledu oedd yn sefyll gerllaw. Bu tipyn o helynt, a chafodd y peiriant ei dorri'n ddarnau gan y dyrfa.

Yn sydyn, ar y diwrnod cyn pen-blwydd Charlie Bucket, cyhoeddodd y papurau newydd fod yr ail Docyn Aur wedi cael ei ddarganfod. Y person lwcus oedd merch fach o'r enw Veruca Salt oedd yn byw gyda'i rhieni cyfoethog mewn dinas fawr ymhell i ffwrdd. Unwaith eto, roedd llun mawr o'r person a ddaeth o hyd i'r tocyn ym mhapur nos Mr Bucket. Eisteddai rhwng ei thad a'i mam, oedd yn wên i gyd yn ystafell fyw eu tŷ, gan chwifio'r Tocyn Aur uwch ei phen, ac yn wên o glust i glust.

Roedd tad Veruca, Mr Salt, wedi egluro'n eiddgar i ddynion y papurau newydd yn union sut cafwyd hyd i'r tocyn. 'Rych chi'n gweld, fechgyn,' roedd e wedi dweud, 'yn syth ar ôl i fy merch fach ddweud wrtha i bod *rhaid* iddi gael un o'r Tocynnau Aur yna, fe es i allan i'r dref a dechrau prynu'r holl fariau Wonka y gallwn gael gafael arnyn nhw. Rhaid 'mod i wedi prynu *miloedd* ohonyn nhw. *Cannoedd* ar filoedd! Yna trefnais iddyn nhw gael eu llwytho ar loriau a'u danfon yn syth i'm ffatri i. Busnes cnau mwnci sydd gen i, chi'n gweld, ac mae gen i tua chant o fenywod yn gweithio i mi draw yn fy ffatri, yn tynnu masglau'r cnau mwnci er mwyn eu rhostio a'u halltu nhw. Dyna beth mae'r menywod hyn yn ei wneud drwy'r dydd gwyn, eistedd yno gan dynnu masglau'r cnau mwnci. Felly dyma fi'n dweud wrthyn nhw, "Iawn 'te, ferched," meddwn i, "o hyn allan, gallwch chi roi'r gorau i dynnu masglau'r cnau mwnci a dechrau tynnu'r papur oddi ar y bariau siocled yma yn lle hynny!" A dyna wnaethon nhw. Roedd pob gweithiwr yn y lle gen i'n tynnu'r papur oddi ar y bariau siocled yna fel y gwynt o fore gwyn tan nos.

'Ond aeth tri diwrnod heibio, a chawson ni ddim lwc. O, dyna ofnadwy! Roedd fy Veruca fach i'n cynhyrfu mwy a mwy bob dydd, a bob tro ro'n i'n mynd adre byddai hi'n gweiddi arna i, "*Ble mae fy Nhocyn Aur i? Dwi eisiau fy Nhocyn Aur i!*" A byddai hi'n gorwedd am oriau ar y llawr, yn cicio ac yn sgrechian cymaint nes gwneud i rywun boeni. Wel, ro'n i'n casáu gweld fy merch fach i'n teimlo'n drist fel yna, felly dyma fi'n addo y byddwn i'n parhau â'r chwilio tan i mi gael gafael ar yr hyn roedd hi eisiau. Yna'n sydyn … ar noson y pedwerydd dydd, gwaeddodd un o'r menywod sy'n gweithio i mi, "Dwi wedi dod o hyd iddo fe! Tocyn Aur!" Ac meddwn i wrthi, "Rhowch e i mi, glou!" a dyma hi'n gwneud, a dyma fi'n rhuthro adre a'i roi e i'm hannwyl Veruca, a nawr mae hi'n wên i gyd eto, ac mae cartref hapus gyda ni unwaith yn rhagor.'

'Mae hynna'n waeth na'r bachgen tew,' meddai Mam-gu Josephine.

'Eisiau chwip din sydd arni hi,' meddai Mam-gu Georgina.

'Dwi ddim yn meddwl fod tad y ferch wedi chwarae'n deg, Dad-cu, do fe?' mwmianodd Charlie.

'Mae e'n ei difetha hi'n rhacs,' meddai Tad-cu Joe. 'A ddaw dim da o ddifetha plentyn fel yna, Charlie, coelia di fi, nawr.'

'Dere i'r gwely, 'nghariad i,' meddai mam Charlie. 'Mae dy ben-blwydd di fory, paid anghofio hynny, felly dwi'n disgwyl i ti fod ar dy draed yn gynnar i agor dy anrheg.'

'Baryn siocled Wonka!' gwaeddodd Charlie. 'Baryn Wonka yw e, on'd ife?'

'Ie, cariad,' meddai ei fam. 'Wrth gwrs taw e.'

'O, dyna wych fyddai dod o hyd i'r trydydd Tocyn Aur ynddo fe!' meddai Charlie.

'Dere ag e i mewn fan hyn pan gei di fe,' meddai Tad-cu Joe. 'Yna gallwn ni i gyd dy wylio di'n tynnu'r papur.'

7

Pen-blwydd Charlie

'Pen-blwydd hapus!' gwaeddodd y ddau ddad-cu a'r ddwy fam-gu wrth i Charlie ddod i mewn i'w hystafell yn gynnar y bore canlynol.

Gwenodd Charlie'n nerfus ac eistedd ar erchwyn y gwely. Cydiai yn ei anrheg, ei unig anrheg, yn ofalus iawn, yn ei ddwy law. SIOCLED CYFFUG MALWS WONCA, oedd yr enw ar y papur.

Rhoddodd y pedwar hen berson, dau ar bob ochr i'r gwely, glustogau y tu ôl iddyn nhw er mwyn eistedd yn gyfforddus a syllu â llygaid gofidus ar y baryn siocled yn nwylo Charlie.

Daeth Mr a Mrs Bucket i mewn a sefyll wrth waelod y gwely, gan wylio Charlie.

Aeth yr ystafell yn dawel. Roedd pawb yn aros nawr i Charlie ddechrau agor ei anrheg. Edrychodd Charlie i lawr ar y baryn siocled. Rhedodd ei fysedd yn araf yn ôl a blaen ar ei hyd, gan ei anwylo'n gariadus, a gwnaeth y papur disglair synau clecian bychan siarp yn yr ystafell dawel.

Yna meddai Mrs Bucket yn dyner, 'Rhaid i ti beidio bod yn rhy siomedig, 'nghariad i, os na fydd 'na Docyn Aur o dan y papur yna. Alli di wir ddim disgwyl bod mor lwcus â hynny.'

'Mae hi yn llygad ei lle,' meddai Mr Bucket.

Ddwedodd Charlie ddim byd.

'Wedi'r cyfan,' meddai Mam-gu Josephine, 'dim ond tri thocyn sydd ar ôl i ddod o hyd iddyn nhw yn y byd mawr crwn.'

'Ond cofia di,' meddai Mam-gu Georgina, 'tocyn neu beidio, bydd y baryn siocled gyda ti o hyd.'

'Siocled Cyffug Malws Wonca!' gwaeddodd Tad-cu George. 'Dyna'r gorau ohonyn nhw i gyd! Byddi di'n *dwlu* arno fe!'

'Byddaf,' sibrydodd Charlie. 'Dwi'n gwybod.'

'Anghofia am yr hen Docynnau Aur yna a mwynha'r siocled,' meddai Tad-cu Joe. 'Pam na wnei di hynny?'

Gwyddai pob un ohonyn nhw ei bod hi'n ddwl i ddisgwyl bod tocyn hud y tu mewn i'r un baryn bach yma o siocled, ac roedden nhw'n gwneud eu gorau drwy fod mor dyner ac mor garedig ag y gallen nhw i baratoi Charlie am y siom. Ond roedd un peth arall roedd yr oedolion hefyd yn ei wybod, sef, faint mor *fach* bynnag oedd y siawns o fod yn lwcus, *roedd siawns yn bod.*

Roedd *rhaid* bod siawns.

Roedd gan y baryn arbennig hwn o siocled gymaint o siawns ag unrhyw un arall o fod â Thocyn Aur ynddo.

A dyna pam roedd y ddwy fam-gu a'r ddau dad-cu a'r rhieni yn yr ystafell yr un mor nerfus a chyffrous mewn gwirionedd ag yr oedd Charlie, er eu bod nhw'n esgus bod yn hollol ddigyffro.

'Gwell i ti fynd ati i'w agor e, neu byddi di'n hwyr yn mynd i'r ysgol,' meddai Tad-cu Joe.

'Man a man i ti fynd drwyddi,' meddai Tad-cu George.

'Agor e, cariad,' meddai Mam-gu Georgina. 'Agor e, da ti. Dwi ar bigau'r drain fan hyn.'

Yn araf bach, dechreuodd bysedd Charlie rwygo un cornel bach o'r papur lapio.

Pwysodd yr hen bobl yn y gwely i gyd ymlaen, gan ymestyn eu gyddfau crychiog.

Yna'n sydyn, fel petai'n methu dioddef y tensiwn mwyach, rhwygodd Charlie'r papur yn syth i lawr y canol ... ac ar ei gôl, cwympodd ... baryn o siocled brown golau lliw hufen.

Doedd dim sôn am Docyn Aur yn unman.

'Wel – dyna *ni*, 'te!' meddai Tad-cu Joe yn ysgafn. 'Dyna'n union roedden ni'n ei ddisgwyl.'

Edrychodd Charlie i fyny. Roedd pedwar hen wyneb caredig yn ei wylio'n ofalus o'r gwely. Gwenodd arnyn nhw, gwên fach drist, ac yna cododd ei ysgwyddau a chodi'r baryn siocled a'i gynnig e i'w fam, ac meddai, 'Cymer ddarn, Mam. Fe rannwn ni fe. Dwi eisiau i bawb ei brofi fe.'

'Na wnawn ni, wir!' meddai ei fam.

A gwaeddodd y lleill i gyd, 'Na, na! Allen ni ddim! Ti biau fe *i gyd*!'

'*Plîs*,' erfyniodd Charlie, gan droi a'i gynnig e i Dad-cu Joe.

Ond doedd e na neb arall yn fodlon cymryd y tamaid lleiaf hyd yn oed.

'Mae'n amser mynd i'r ysgol, 'ngharaid i,' meddai Mrs Bucket, gan roi ei braich am ysgwyddau esgyrnog Charlie. 'Dere nawr, neu fe fyddi di'n hwyr.'

8

Dod o hyd i Ddau Docyn Aur Arall

Y noson honno, cyhoeddodd papur newydd Mr Bucket nid yn unig fod y trydydd Tocyn Aur, ond y pedwerydd hefyd wedi cael eu darganfod. DAU DOCYN AUR WEDI CAEL EU DARGANFOD HEDDIW, sgrechiodd y penawdau. DIM OND UN ARALL AR ÔL.

'Iawn 'te,' meddai Tad-cu Joe, pan oedd y teulu i gyd wedi ymgasglu yn ystafell yr hen bobl ar ôl swper, 'gadewch i ni glywed pwy ddaeth o hyd iddyn nhw.'

'Cafodd y trydydd tocyn ei ddarganfod,' darllenodd Mr Bucket, gan ddal y papur newydd yn agos at ei wyneb gan fod ei lygaid yn wael ac na allai fforddio sbectol, 'cafodd y trydydd tocyn ei ddarganfod gan Miss Violet Beauregarde. Roedd cyffro mawr yng nghartre'r teulu Beauregarde pan gyrhaeddodd ein gohebydd i gyf-weld â'r ferch ifanc lwcus – roedd camerâu'n clicio ac yn fflachio ac roedd pobl yn gwthio'i gilydd i geisio dod ychydig yn nes at y ferch enwog. Ac roedd y ferch enwog yn sefyll ar gadair yn yr ystafell fyw yn chwifio'r Tocyn Aur yn wyllt hyd braich oddi wrthi

fel tasai'n ceisio tynnu sylw tacsi. Roedd hi'n siarad â phawb yn gyflym iawn ac yn uchel iawn, ond doedd hi ddim yn hawdd clywed popeth roedd ganddi i'w ddweud achos ei bod hi wrthi'n cnoi darn o gwm cnoi yn ffyrnig ar yr un pryd.

'"Gwm dwi'n gnoi, fel arfer," gwaeddodd, "ond pan glywais am y tocynnau 'ma gan Mr Wonka, rhois y gorau i'r gwm a dechrau ar fariau siocled yn y gobaith o fod yn lwcus. *Nawr,* wrth gwrs, dwi'n cnoi gwm eto. Dwi'n *dwlu* ar gwm cnoi. Alla i ddim gwneud hebddo. Dwi'n ei gnoi drwy'r dydd oni bai am ychydig funudau adeg bwyd pan fydda i'n ei dynnu e o 'ngheg ac yn ei lynu y tu ôl i 'nghlust i'w gadw'n saff. A dweud y gwir, fyddwn i ddim yn teimlo'n *gysurus* heb damaid bach o gwm i'w gnoi bob eiliad o'r dydd, na fyddwn wir. Mae Mam yn dweud nad yw e'n beth neis i ferch ei wneud, a'i fod e'n beth salw i weld gên merch yn mynd lan a lawr drwy'r amser fel f'un i, ond dwi ddim yn cytuno. Pwy yw hi i feirniadu, ta beth, achos tasech chi'n gofyn i fi, baswn i'n dweud bod ei gên *hi*'n mynd lan a lawr bron cymaint â fy un i wrth *weiddi* arna i bob munud o'r dydd."

'"Nawr, Violet," meddai Mrs Beauregarde o gornel bell yn yr ystafell lle roedd hi'n sefyll ar y piano rhag iddi gael ei sathru gan y dyrfa.

'"Iawn, Mam, paid â cholli dy limpyn!" gwaeddodd Miss Beauregarde. "A nawr," aeth yn ei blaen, gan droi unwaith eto at y gohebwyr, "efallai y bydd o ddiddordeb i chi wybod bod y gwm dwi'n ei gnoi ar hyn o bryd yn ddarn dwi wedi bod yn gweithio arno am *dri mis cyfan*. Mae hynna'n record. Mae e wedi curo record fy ffrind gorau, Miss Ceridwen Rholant. Ac aeth hi'n wyllt gacwn! Y darn yma o gwm cnoi yw fy nhrysor pennaf ar hyn o bryd. Yn y nos, dwi'n ei sticio ar bostyn y gwely, ac mae e fel newydd yn y bore – ychydig yn galed ar y dechrau, efallai, ond mae'n troi'n feddal braf unwaith eto ar ôl i mi ei gnoi e'n dda cwpwl o weithiau. Cyn i mi ddechrau cnoi ar gyfer record y byd, ro'n i'n arfer newid fy narn o gwm unwaith y dydd. Ro'n i'n arfer gwneud hynny yn ein lifft ni ar y ffordd adre o'r ysgol. A pham yn y lifft? Wel, ro'n i'n hoffi glynu'r darn gludiog ro'n i newydd orffen ag e wrth un o'r botymau rheoli. Yna byddai'r person nesaf oedd yn dod ac yn gwasgu'r botwm yn cael fy hen gwm i ar flaen ei fys e neu ei bys hi. Ha-ha! Ac roedd rhai ohonyn nhw'n creu helynt a hanner. Fe gewch chi'r canlyniadau gorau gyda menywod sy'n gwisgo menig drud. O, ydw, dwi wrth fy modd 'mod i'n mynd i ffatri Mr Wonka. A dwi'n deall ei fod e'n mynd i roi digon o gwm i mi wedyn i bara gweddill fy oes i gyd. Hwrê! Hwrê!"'

'Merch *gythreulig*,' meddai Mam-gu Josephine.

'Cywilydd o beth!' meddai Mam-gu Georgina. 'Daw diwedd drwg iddi un diwrnod, yn cnoi'r holl gwm 'na, fe gewch chi weld.'

'A phwy gafodd y pedwerydd Tocyn Aur?' gofynnodd Charlie.

'Nawr 'te, gad i mi weld,' meddai Mr Bucket, gan syllu ar papur newydd unwaith eto. 'Dyma ni. Cafodd y pedwerydd Tocyn Aur,' darllenodd, 'ei ddarganfod gan fachgen o'r enw Mike Teavee.'

'Un drwg arall, siŵr o fod,' mwmianodd Mam-gu Josephine.

'Paid torri ar draws, Mam-gu,' meddai Mrs Bucket.

'Roedd cartre'r teulu Teavee,' meddai Mr Bucket, gan barhau i ddarllen, 'dan ei sang, fel y lleill i gyd, yn llawn ymwelwyr yn gyffro i gyd pan gyrhaeddodd ein gohebydd, ond roedd Mike Teavee, yr enillydd lwcus, yn ymddangos yn hynod grac ynglŷn â'r holl fusnes. "Allwch chi dwpsod ddim gweld 'mod i'n gwylio'r teledu?" meddai'n grac. "Fe fasai hi'n dda 'da fi tasech chi ddim yn torri ar fy nhraws!"

'Roedd y bachgen naw mlwydd oed yn eistedd o flaen set deledu enfawr, a'i lygaid wedi'u hoelio ar y sgrin, ac roedd yn gwylio ffilm lle roedd un criw o ddynion drwg yn saethu ar griw arall o ddynion drwg â drylliau peiriannol. Roedd gan Mike Teavee ei hun ddim llai nag un deg wyth o ddrylliau tegan

o wahanol faint yn hongian o sawl gwregys o gwmpas ei gorff, a bob hyn a hyn byddai'n neidio i'r awyr ac yn saethu hanner dwsin o fwledi o'r naill neu'r llall o'r arfau hyn.

""Tawelwch!" gwaeddodd, pan geisiodd rhywun ofyn cwestiwn iddo. "Fe *ddwedais* i wrthoch chi am beidio â thorri ar draws! Mae'r rhaglen hon yn gwbl wych! Mae'n anhygoel! Dwi'n ei gwylio hi bob dydd. Dwi'n eu gwylio nhw i gyd bob dydd, hyd yn oed y rhai gwael, lle does dim saethu'n digwydd. Dwi'n hoffi'r dynion drwg orau. Mae'r dynion drwg yna'n wych! Yn enwedig pan fyddan nhw'n dechrau saethu plwm ar ei gilydd, neu'n fflachio'r hen gyllyll stiletos, neu'n dyrnu'i gilydd â'u *knuckle-dusters*! Wir, fe rown i bopeth i wneud hynny fy hun! Dyna'r *bywyd,* dwi'n dweud wrthoch chi! Mae'n wych!"

'Dyna hen ddigon!' meddai Mam-gu Josephine yn grac. 'Alla i ddim *dioddef* gwrando arno fe!'

'Na finnau chwaith,' meddai Mam-gu Georgina. 'Ydy *pob* plentyn yn ymddwyn fel hyn y dyddiau 'ma – fel yr hen blant drwg yma rydyn ni wedi bod yn clywed amdanyn nhw?'

'Wrth gwrs nad ydyn nhw,' meddai Mr Bucket, gan wenu ar yr hen fenyw yn y gwely. 'Mae rhai'n gwneud, wrth gwrs. A dweud y gwir, mae tipyn go lew ohonyn nhw'n gwneud. Ond ddim *pob un.*'

'A nawr dim ond *un tocyn sydd ar ôl!*' meddai Tad-cu George.

'Yn gwmws,' ffroenodd Mam-gu Georgina. 'A chyn wired ag y bydda i'n cael cawl bresych i swper nos yfory, bydd y tocyn yna'n mynd i ryw hen blentyn atgas nad yw e'n ei haeddu fe!'

9

Tad-cu Joe'n Mentro

Y diwrnod canlynol, pan ddaeth Charlie adre o'r ysgol a mynd i mewn i weld ei ddwy fam-gu a'i ddau dadcu, gwelodd mai dim ond Tad-cu Joe oedd ar ddihun. Roedd y tri arall yn chwyrnu'n braf.

'Ust!' sibrydodd Tad-cu Joe, a rhoi arwydd i Charlie ddod yn nes. Aeth Charlie draw ar flaenau ei draed a sefyll ar bwys y gwely. Gwenodd yr hen ddyn yn slei ar Charlie, ac yna dechreuodd chwilota o dan ei obennydd ag un llaw; a phan ddaeth y llaw allan unwaith eto, roedd y bysedd yn cydio mewn hen bwrs lledr. O dan y dillad gwely, agorodd yr hen ddyn y pwrs a'i droi ben i waered. Disgynnodd darn chwe cheiniog arian ohono. 'Fy nghelc dirgel i yw hwn,' sibrydodd. 'Dyw'r lleill ddim yn gwybod ei fod e gyda fi. A nawr, rwyt ti a fi'n mynd i roi un cynnig bach arall ar ddod o hyd i'r tocyn olaf yna. Beth amdani 'te? Ond bydd rhaid i ti fy helpu i.'

'Wyt ti'n *siŵr* dy fod ti eisiau gwario dy arian ar hynny, Dad-cu?' sibrydodd Charlie.

'Wrth gwrs 'mod i'n siŵr!' poerodd yr hen ddyn yn llawn cyffro. 'Paid sefyll fan yna'n anghytuno â fi! Dwi mor awyddus â ti i ddod o hyd i'r tocyn yna! Hwre – cymer yr arian a rhed lawr y stryd i'r siop agosaf a phryna'r baryn Wonka cyntaf weli di a dere ag e'n ôl ata i, ac fe agorwn ni fe gyda'n gilydd.'

Cymerodd Charlie'r darn arian bychan, a llithro'n gyflym o'r ystafell. Ymhen pum munud, roedd e wedi dod 'nôl.

'Ydy e gyda ti?' sibrydodd Tad-cu Joe, a'i lygaid yn ddisglair gyffrous.

Nodiodd Charlie a dal y baryn siocled allan. SIOCLED CNAU CRENSIOG WONCA oedd yr enw ar y papur.

'Da iawn!' sibrydodd yr hen ddyn, gan godi ar ei eistedd yn y gwely a rhwbio'i ddwylo. 'Nawr 'te – dere draw fan hyn ac eistedd yn agos ata i ac fe agorwn ni fe gyda'n gilydd. Wyt ti'n barod?'

'Ydw,' meddai Charlie. 'Dwi'n barod.'

'Iawn 'te. Rhwyga di'r darn cyntaf.'

'Na,' meddai Charlie, 'ti dalodd amdano fe. Agora di fe.'

Roedd bysedd yr hen ddyn yn crynu'n ofnadwy wrth ymbalfalu â'r papur. Does dim gobaith caneri gyda ni, wir,' sibrydodd, gan chwerthin ychydig. 'Rwyt ti'n gwybod nad oes gobaith caneri gyda ni, on'd wyt ti?'

'Ydw,' meddai Charlie. 'Dwi'n gwybod hynny.'

Edrychon nhw ar ei gilydd, a dechreuodd y ddau chwerthin yn nerfus.

'Cofia di,' meddai Tad-cu Joe, 'mae 'na siawns *pitw bach* mai hwn *allai* fe fod, on'd oes e?'

'Oes,' meddai Charlie. 'Wrth gwrs. Pam nad agori di fe, Dad-cu?'

'Gan bwyll, 'machgen i, gan bwyll nawr. Pa ben ddylwn i ei agor gynta, wyt ti'n meddwl?'

'Y cornel yna. Yr un sydd bellaf oddi wrthot ti. Rhwyga ddarn pitw *bach* yn unig, ond dim digon i ni weld unrhyw beth.'

'Fel yna?' meddai'r hen ddyn.

'Ie. Nawr ychydig bach eto.'

'Gorffenna di fe,' meddai Tad-cu Joe. 'Dwi'n rhy nerfus.'

'Na wna i, Dad-cu. Rhaid i ti ei wneud e ar dy ben dy hun.'

'O'r gore. Dyma ni 'te.' Rhwygodd y papur i ffwrdd.

Syllodd y ddau oddi tano i weld beth oedd yno. Baryn siocled oedd yno – dim mwy.

Ar unwaith, gwelodd y ddau pa mor ddoniol oedd yr holl beth, a dechreuodd y ddau hollti eu boliau'n chwerthin.

'Beth yn y byd sy'n digwydd!' llefodd Mam-gu Josephine, gan ddihuno'n sydyn.

'Dim byd,' meddai Tad-cu Joe. 'Cer 'nôl i gysgu.'

10

Y Teulu'n Dechrau Llwgu

Yn ystod y pythefnos nesaf, aeth y tywydd yn oer iawn. Yn gyntaf daeth yr eira. Dechreuodd fwrw'n sydyn iawn un bore tra oedd Charlie Bucket yn gwisgo i fynd i'r ysgol. Wrth iddo sefyll wrth y ffenest, gwelodd y plu eira enfawr yn disgyn yn araf o awyr rewllyd oedd yr un lliw â dur.

Erbyn y nos, roedd eira'n bedair trodfedd o drwch o gwmpas y tŷ bychan, ac roedd rhaid i Mr Bucket balu llwybr o ddrws y ffrynt i'r heol.

Ar ôl yr eira, daeth corwynt rhewllyd fu'n chwythu am ddyddiau a dyddiau'n ddiddiwedd. Ac o, roedd hi'n ddychrynllyd o oer! Roedd popeth a gydiai Charlie ynddo fel petai wedi'i wneud o rew, a bob tro y camai o'r tŷ, roedd y gwynt fel cyllell ar ei foch.

Y tu mewn i'r tŷ, roedd ffrydiau bach o aer rhewllyd yn rhuthro i mewn drwy ymylon y ffenestri ac o dan y drysau, a doedd dim modd dianc rhagddyn nhw. Roedd y pedwar hen berson yn cwtsho'n dawel yn eu gwely, yn ceisio cadw'r oerfel o'u hesgyrn. Roedd pawb wedi hen anghofio am y cyffro am y Tocynnau Aur. Doedd dim un o'r teulu'n meddwl am ddim nawr heblaw am y ddwy broblem dyngedfennol, sef ceisio cadw'n gynnes a cheisio cael digon i'w fwyta.

Mae rhywbeth am dywydd oer iawn sy'n codi chwant bwyd enfawr arnon ni. Bydd y rhan fwyaf ohonon ni'n dechrau chwantu cawl poeth trwchus a tharten afalau dwym a phob math o brydau bwyd blasus sy'n ein twymo ni; ac achos ein bod ni i gyd yn llawer mwy ffodus nag y sylweddolwn ni, fe gawn ni yr hyn rydyn ni ei eisiau fel arfer – neu'n ddigon agos ati. Ond châi Charlie Bucket byth yr hyn roedd ei eisiau achos allai'r teulu mo'i fforddio, ac wrth i'r tywydd oer fynd rhagddo o hyd, dechreuodd lwgu'n ofnadwy. Roedd y ddau faryn siocled, yr un a gafodd ar ei ben-blwydd a'r un roedd Tad-cu Joe wedi'i brynu, wedi cael eu bwyta ers tro, a'r cyfan roedd e'n ei gael nawr oedd y prydau bwyd tenau bresychlyd 'na deirgwaith y dydd.

Yna, yn sydyn reit, aeth y prydau'n deneuach fyth.

Y rheswm am hyn oedd fod y ffatri pâst dannedd, lle roedd Mr Bucket yn gweithio, wedi mynd i'r wal yn sydyn a bu'n rhaid iddi gau. Yn sydyn, ceisodd Mr Bucket ddod o hyd i swydd arall. Ond chafodd e ddim lwc. Yn y pen draw, yr unig ffordd y gallai ennill ambell geiniog oedd drwy rofio eira yn y strydoedd. Ond doedd hynny ddim yn ddigon i brynu hyd yn oed chwarter y bwyd roedd ei angen ar saith o bobl. Aeth y sefyllfa'n anobeithiol. Darn o fara yr un oedd i frecwast nawr, ac efallai mai hanner taten wedi'i berwi oedd i ginio.

Yn araf bach, dechreuodd pawb yn y tŷ lwgu.

A phob dydd, byddai'n rhaid i Charlie Bucket

bach, wrth ymlwybro drwy'r eira ar ei ffordd i'r ysgol, fynd heibio i ffatri siocled enfawr Mr Wili Wonka. A phob dydd, wrth iddo agosáu ati, byddai'n codi ei drwyn bach pigfain yn uchel i'r awyr ac yn ffroeni arogl melys hyfryd siocled yn toddi. Weithiau, byddai'n sefyll yn stond y tu allan i'r gatiau am funudau lawer, yn anadlu'n ddwfn ac yn llyncu fel petai'n ceisio *bwyta*'r arogl ei hun.

'Mae'n rhaid i'r plentyn yna,' meddai Tad-cu Joe, gan godi ei ben o dan y garthen un bore rhewllyd, 'mae'n *rhaid* i'r plentyn yna gael mwy o fwyd. Does dim ots amdanon ni. Rydyn ni'n rhy hen i ymboeni â ni. Ond *bachgen sy'n tyfu*! All e ddim para fel hyn! Mae e'n dechrau edrych fel sgerbwd!'

'Beth allwn ni *wneud*?' mwmianodd Mam-gu Joesphine yn ddiflas. 'Mae'n gwrthod cymryd dim o'n bwyd ni. Fe glywais ei fam yn ceisio llithro ei darn hi o fara ar ei blât e amser brecwast y bore 'ma, ond wnâi e ddim cyffwrdd ynddo fe. Fe wnaeth iddi ei gymryd e'n ôl.'

'Mae e'n fachgen bach hyfryd,' meddai Tad-cu George. 'Mae e'n haeddu gwell na hyn.'

Parhaodd y tywydd creulon yn ddiddiwedd.

A phob dydd, âi Charlie Bucket yn deneuach o hyd. Aeth ei wyneb yn frawychus o wyn a thenau. Roedd y croen wedi ei dynnu mor dynn dros y bochau fel y gallech weld siâp yr esgyrn oddi tano. Roedd yn anodd dweud a allai fynd yn ei flaen lawer hirach heb fynd yn beryglus o sâl.

A nawr, yn dawel iawn, gyda'r doethineb rhyfedd hwnnw sy'n dod i blant ifanc pan fydd hi'n galed arnyn nhw, dechreuodd wneud ambell newid bychan hwnt ac yma o ran rhai o'r pethau y byddai'n eu gwneud, er mwyn arbed ei egni. Yn y bore, byddai'n gadael y tŷ ddeng munud yn gynt fel y gallai gerdded yn araf i'r ysgol, heb orfod rhedeg. Eisteddai'n dawel yn yr ystafell ddosbarth amser egwyl, i orffwys, tra bod y gweddill yn rhuthro mas i daflu peli eira ac ymaflyd codwm yn yr eira. Roedd e'n gwneud popeth nawr yn araf a gofalus, i atal ei hun rhag ymlâdd yn llwyr.

Yna, un prynhawn, wrth iddo gerdded adref a'r gwynt rhewllyd yn ei wyneb (a chan deimlo'n fwy llwglyd nag y gwnaeth erioed, gyda llaw), sylwodd yn sydyn ar rywbeth arian yn gorwedd yn y gwter, yn yr eira. Camodd Charlie oddi ar y palmant a phlygu i lawr i gael gwell golwg arno. Roedd rhan ohono wedi'i gladdu o dan yr eira, ond gwelodd yn syth beth oedd e.

Darn pum deg ceiniog oedd e!

Yn sydyn, edrychodd o'i gwmpas.

Oedd rhywun wedi ei ollwng?

Nac oedd – roedd hynny'n amhosibl o sylwi fel yr oedd rhan ohono wedi'i gladdu.

Rhuthrai nifer o bobl heibio iddo ar y palmant, a'u hwynebau'n ddwfn yng ngholer eu cotiau, a'u traed yn crensian yn yr eira. Doedd dim un ohonyn nhw'n chwilio am arian; doedd dim un ohonyn nhw'n cymryd unrhyw sylw o'r bachgen bach yn ei gwrcwd yn y gwter.

Felly ai *fe* oedd biau'r darn pum deg ceiniog hwn?

Allai e ei *gadw* e?

Yn ofalus, tynnodd Charlie y darn allan o dan yr

eira. Roedd e'n llaith ac yn frwnt, ond yn berffaith fel arall.

Pum deg ceiniog CYFAN!

Cydiodd yn dynn ynddo rhwng ei fysedd crynedig, gan syllu i lawr arno. Roedd e'n golygu un peth iddo yr eiliad honno, dim ond *un* peth. Roedd e'n golygu BWYD.

Heb feddwl, trodd Charlie a dechrau symud tuag at y siop agosaf. Dim ond deg cam i ffwrdd roedd hi … a siop bapur newydd a deunyddiau ysgrifennu oedd hi, y math sy'n gwerthu popeth bron â bod, gan gynnwys losin a sigârs … a'r hyn fyddai'n ei *wneud*, sibrydodd yn gyflym wrtho'i hun … fyddai prynu un baryn hyfryd o siocled a'i fwyta *bob tamaid*, bob tamaid, yn y fan a'r lle … a mynd â gweddill yr arian yn syth adre i'w roi i'w fam.

11

Y Wyrth

Aeth Charlie i mewn i'r siop a rhoi'r darn pum deg ceiniog llaith ar y cownter.

'Un Siocled Cyffug Malws Wonca,' meddai, gan gofio cymaint roedd e wedi mwynhau'r un gafodd ar ei ben-blwydd.

Edrychai'r dyn y tu ôl i'r cownter yn dew ac yn llond ei groen. Roedd ganddo wefusau mawr a bochau tew a gwddf tew iawn. Roedd y bloneg o gwmpas ei wddf yn codi dros ymyl ei goler fel cylch rwber. Trodd ac estyn y tu ôl iddo am y baryn siocled, yna trodd 'nôl eto a'i roi i Charlie. Cydiodd Charlie ynddo a rhwygo'r papur i ffwrdd yn gyflym a chnoi'n awchus. Yna, cnodd eto … ac eto … ac o, y llawenydd o allu stwffio darnau mawr o rywbeth melys a sylweddol i'w geg! Y llawenydd gorfoleddus o allu llenwi ei geg â bwyd cyfoethog sylweddol!

'Rwyt ti'n edrych fel bod eisiau hwnna arnat ti, fachgen,' meddai dyn y siop yn garedig.

Nodiodd Charlie, a'i geg yn bochio o siocled.

Gosododd dyn y siop newid Charlie ar y cownter. 'Gan bwyll,' meddai. 'Fe gei di fola tost os llynci di fe fel 'na heb ei gnoi e'n iawn.'

Dyma Charlie'n mynd ati i lowcio'r siocled. Allai e ddim peidio. Ac mewn llai na hanner munud, roedd y cyfan wedi mynd i lawr y lôn goch. Roedd e wedi colli ei wynt yn lân, ond teimlai'n hynod, yn rhyfeddol o hapus. Estynnodd ei law i godi'r newid. Yna oedodd. Roedd ei lygaid ychydig uwchben uchder y cownter. Roedden nhw'n syllu ar y darnau arian oedd yn gorwedd arno. Darnau pum ceiniog oedd y darnau arian i gyd. Roedd naw ohonyn nhw i gyd. Fyddai dim gwahaniaeth petai'n gwario dim ond un bach arall …

'Dwi'n meddwl,' meddai'n dawel, 'dwi'n meddwl … y caf i un bach arall o'r bariau siocled yna. Yr un peth ag o'r blaen, os gwelwch chi'n dda.'

'Pam lai?' meddai dyn tew y siop, gan estyn y tu ôl iddo eto a thynnu Siocled Cyffug Malws Wonca oddi ar y silff. Gosododd e ar y cownter.

Cododd Charlie'r baryn a rhwygo'r papur i ffwrdd ... ac *yn sydyn* ... o dan y papur ... daeth fflach ddisglair o aur.

Peidiodd calon Charlie â churo.

'Tocyn Aur yw e!' sgrechiodd dyn y siop, gan lamu ryw droedfedd i'r awyr. 'Mae Tocyn Aur gyda ti! Rwyt ti wedi dod o hyd i'r Tocyn Aur olaf! Hei, allwch chi gredu'r fath beth! Dewch i edrych ar hyn, bawb! Mae'r crwtyn wedi dod o hyd i Docyn Aur olaf Wonka! Dyma fe! Fan hyn yn ei ddwylo fe!'

Edrychai dyn y siop fel petai'n mynd i gael ffit. 'Yn fy siop i, hefyd!' bloeddiodd. 'Daeth e o hyd iddo fe fan hyn yn fy siop fach i! Rhowch alwad i'r papurau newydd glou, a rhowch wybod iddyn nhw! Bydd ofalus nawr, fachgen! Paid â'i rwygo fe wrth i ti ei ddadlapio fe! Mae hwnna'n beth gwerthfawr!'

Ymhen ychydig eiliadau, roedd tyrfa o tua ugain o bobl wedi ymgasglu o gwmpas Charlie, ac roedd llawer mwy yn gwthio'u ffordd i mewn o'r stryd. Roedd pawb eisiau cael cip ar y Tocyn Aur a'r un lwcus oedd wedi dod o hyd iddo.

'Ble mae e?' gwaeddodd rhywun. 'Dal e'n uchel fel y gallwn ni i gyd ei weld e!'

'Dyna fe, fan yna!' gwaeddodd rhywun arall. 'Mae e'n ei ddal e yn ei ddwylo! Welwch chi'r aur yn disgleirio!'

'Sut llwyddodd *e* i ddod o hyd iddo fe, hoffwn i wybod?' gwaeddodd bachgen mawr yn grac. 'Dwi wedi bod yn prynu *ugain* baryn y dydd am wythnosau ac wythnosau!'

'Meddylia am yr holl stwff y bydd e'n ei gael am

ddim hefyd!' meddai bachgen arall yn eiddigeddus. 'Digon am oes!'

'Bydd ei angen e arno fe, y llipryn bach tenau!' meddai merch, gan chwerthin.

Doedd Charlie ddim wedi symud. Doedd e ddim hyd yn oed wedi dadlapio'r Tocyn Aur oddi am y siocled. Safai'n stond, gan gydio'n dynn ynddo â'i ddwy law tra bod y dyrfa'n gwthio a gweiddi o'i gwmpas. Roedd e'n teimlo'n eithaf penysgafn. Roedd teimlad o ysgafnder rhyfedd yn dod drosto, fel petai'n hofran yn yr awyr fel balŵn. Doedd ei draed ddim fel petaen nhw'n cyffwrdd â'r llawr o gwbl. Gallai glywed ei galon yn curo'n uchel rywle yn ei wddf.

Bryd hynny, sylweddolodd fod llaw yn gorffwys yn ysgafn ar ei ysgwydd, a phan edrychodd i fyny, gwelodd ddyn tal yn sefyll uwch ei ben. 'Gwrandawa,' sibrydodd y dyn. 'Fe bryna i fe wrthot ti. Fe rof i hanner can punt i ti. Beth amdani 'te? Ac fe rof i feic newydd i ti hefyd. O'r gorau?'

'Wyt ti'n *gall*?' gwaeddodd menyw oedd yn sefyll yr un mor agos. 'Wel, baswn i'n rhoi *dau gan punt* am y tocyn yna! Wyt ti eisiau gwerthu'r tocyn am ddau gan punt, ddyn ifanc?'

'Dyna *hen* ddigon o hynna!' gwaeddodd dyn tew y siop, gan wthio'i ffordd drwy'r dyrfa a chydio yn Charlie yn gadarn wrth ei fraich. 'Gadewch y crwtyn i fod, wnewch chi! Gwnewch le iddo fe! Gadewch iddo fe fynd mas!' Ac wrth iddo ei arwain at y drws, sibrydodd wrth Charlie, 'Paid ti â gadael i *neb* ei gael e! Cer â fe adre'n syth, cyn i ti ei golli fe! Rheda'r holl ffordd, a phaid â stopio tan i ti gyrraedd, wyt ti'n deall?'

Nodiodd Charlie.

'Ti'n gwybod beth,' meddai dyn tew y siop, gan aros am eiliad a gwenu ar Charlie. 'Mae gen i deimlad bod angen lwc fel hyn arnat ti. Dwi'n hynod o falch mai ti gafodd e. Pob lwc i ti, fachgen.'

'Diolch,' meddai Charlie, a bant ag e, gan redeg drwy'r eira fel y gwynt. Ac wrth iddo hedfan heibio i ffatri Mr Wili Wonka, trodd a chwifio arni a chanu, 'Wela i di cyn bo hir, wela i di cyn bo hir!' A phum munud yn ddiweddarach cyrhaeddodd ei gartref ei hun.

12

Beth oedd ar y Tocyn Aur

Rhuthrodd Charlie drwy ddrws y ffrynt, gan weiddi, '*Mam! Mam! Mam!*'

Roedd Mrs Bucket yn ystafell wely'r ddwy fam-gu a'r ddau dad-cu, yn rhoi cawl iddyn nhw i swper.

'*Mam!*' bloeddiodd Charlie, gan ruthro atyn nhw fel corwynt. 'Edrychwch! Dwi wedi'i gael e! Edrych, Mam, edrych! Y Tocyn Aur olaf! Fi biau fe! Des i o hyd i arian yn y stryd a phrynais i ddau faryn o siocled ac roedd Tocyn Aur yn yr ail un ac roedd *tyrfa* o bobl o 'nghwmpas i eisiau ei weld e, ac achubodd dyn y siop fi a rhedais i adre bob cam a dyma fi! *DYMA'R PUMED TOCYN AUR, MAM, A FI DDAETH O HYD IDDO FE!*'

Dim ond aros a syllu wnaeth Mrs Bucket, a'r ddwy fam-gu a'r ddau dad-cu, oedd yn eistedd yn y gwely'n cydbwyso powlenaid yr un o gawl yn eu côl, yn gollwng eu llwyau'n swnllyd a rhewi fel delwau yn erbyn eu gobenyddion.

Am ryw ddeg eiliad roedd yr ystafell yn gwbl dawel. Feiddiai neb siarad na symud. Roedden nhw'n eiliadau o hud.

Yna, yn dawel iawn, meddai Tad-cu Joe, 'Rwyt ti'n tynnu'n coesau ni, Charlie, on'd wyt ti? Cael hwyl am ein pennau ni rwyt ti?'

'Nage *wir!*' gwaeddodd Charlie, gan ruthro at y gwely ac estyn y Tocyn Aur mawr a phrydferth iddo gael ei weld.

Pwysodd Tad-cu Joe ymlaen ac edrych yn fanwl, a'i drwyn bron â chyffwrdd â'r tocyn. Gwyliodd y lleill ef, gan ddisgwyl am ei ddyfarniad.

Yna'n araf iawn, gyda gwên araf a rhyfeddol yn ymledu dros ei wyneb i gyd, cododd Tad-cu Joe ei ben ac edrych yn syth ar Charlie. Rhedai'r lliw i'w wyneb, ac roedd ei lygaid yn llydan agored, yn disgleirio mewn llawenydd, ac ynghanol pob llygad, reit yn y canol, yn y gannwyll dywyll, roedd gwreichionyn o gyffro gwyllt yn dawnsio'n araf. Yna, tynnodd yr hen ddyn anadl ddofn, ac yn sydyn, heb unrhyw fath o rybudd, roedd ffrwydrad fel petai'n digwydd y tu mewn iddo. Taflodd ei freichiau i fyny a bloeddio '*Hwrêêêêêêê*!' Ac ar yr un pryd, cododd ei gorff hir esgyrnog o'r gwely a hedfanodd ei bowlenaid o gawl i wyneb Mam-gu Josephine, a chydag un naid wych, dyma'r hen fachgen naw deg chwech a hanner oed, nad oedd wedi bod o'i wely am ugain mlynedd, yn neidio ar y llawr ac yn dechrau dawnsio'n fuddugoliaethus yn ei byjamas.

'Hwr*êêêêêêêêê*!' gwaeddodd. 'Tair hwrê i Charlie! Hip, hip, hwrê!'

Yna, agorodd y drws, a cherddodd Mr Bucket i'r ystafell. Roedd yn oer a blinedig, ac roedd golwg fel hynny arno. Roedd e wedi bod yn rhofio eira yn y strydoedd drwy'r dydd gwyn.

'*Arswyd y byd!*' gwaeddodd. 'Beth sy'n digwydd fan hyn?'

Chymerodd hi ddim llawer iddyn nhw ddweud wrtho beth oedd wedi digwydd.

'Alla i ddim credu'r peth!' meddai. 'All e ddim bod yn wir.'

'Dangos y tocyn iddo fe, Charlie!' gwaeddodd Tad-cu Joe, oedd yn dal i ddawnsio o gwmpas y llawr fel dawnsiwr gwerin yn ei byjamas streipiog. 'Dangos y pumed Tocyn Aur, i dy dad – yr un olaf yn y byd!'

'Gad i mi ei weld e, Charlie,' meddai Mr Bucket, gan gwympo i gadair ac estyn ei law. Daeth Charlie â'r ddogfen werthfawr ato.

Roedd y Tocyn Aur yma'n un hardd iawn, ac edrychai fel petai wedi'i wneud o ddarn o aur pur wedi'i forthwylio bron i'r un drwch â phapur. Ar un ochr ohono, wedi'i argraffu drwy ryw ddull clyfar â llythrennau du fel y frân, roedd y gwahoddiad ei hun – oddi wrth Mr Wonka.

'Darllen e'n uchel,' meddai Tad-cu Joe, gan ddringo'n ôl i'r gwely o'r diwedd. 'Gad i ni i gyd glywed yn union beth mae'n ei ddweud.'

Daliodd Mr Bucket y Tocyn Aur hyfryd yn agos at ei lygaid. Crynai ei ddwylo braidd, ac roedd fel petai'r holl fusnes yn ormod iddo. Tynnodd sawl anadl ddofn. Yna, cliriodd ei wddf a dweud, 'O'r gorau, fe ddarllena i fe. Dyma ni 'te:

'*Cyfarchion i chi,* y person lwcus sydd wedi dod o hyd i'r Tocyn Aur hwn, oddi wrth Mr Wili Wonka! Rwy'n eich llongyfarch yn gynnes iawn! Mae pethau rhyfeddol ar y gweill ar eich cyfer! Mae llawer o bethau gwych yn disgwyl amdanoch! Am y tro, dwi'n eich gwahodd chi i ddod i'm ffatri a bod yn westai i mi am ddiwrnod cyfan – chi a phob un o'r lleill sy wedi bod yn ddigon ffodus i ddod o hyd i'm Tocynnau Aur. Byddaf i, Wili Wonka, yn eich tywys o amgylch y ffatri fy hun, gan ddangos popeth sydd i'w weld, ac wedyn, pan fydd yn bryd i chi ymadael, bydd rhes o loriau mawr yn eich hebrwng adre. Bydd y loriau hyn, gallaf addo i chi, wedi eu llwytho â digon o bethau blasus i'w bwyta i barhau am flynyddoedd lawer i chi a'r teulu cyfan. Os digwydd i'r losin fynd yn brin, unrhyw bryd wedi hynny, dim ond dod 'nôl i'r ffatri fydd rhaid i chi a dangos y Tocyn Aur hwn, a byddaf wrth fy modd yn llenwi eich cwpwrdd eto â beth bynnag fyddwch chi ei eisiau. Fel hyn, bydd gennych gyflenwad o losin blasus weddill eich oes. Ond nid dyma'r peth mwyaf cyffrous fydd yn digwydd ar ddiwrnod eich ymweliad o bell ffordd. Rydw i'n paratoi pethau fydd hyd yn oed yn fwy rhyfeddol a gwych i chi a'r rhai annwyl eraill fydd â Thocyn Aur – pethau hudol a rhyfeddol fydd yn eich hudo, eich rhyfeddu, eich synnu a'ch drysu'n fawr. Ni allech fyth ddychmygu y gallai'r fath bethau ddigwydd i chi! Arhoswch i gael gweld! A nawr, dyma eich cyfarwyddiadau: y diwrnod rydw i wedi ei ddewis ar gyfer yr ymweliad yw'r diwrnod cyntaf ym mis Chwefror. Ar y diwrnod hwn, ac nid ar unrhyw ddiwrnod arall, dylech ddod i gatiau'r ffatri am ddeg o'r gloch y bore'n union. Peidiwch â bod yn hwyr! A chewch ddod â naill ai un neu ddau aelod o'ch teulu eich hun i ofalu ar eich ôl ac i wneud yn siŵr na fyddwch yn gwneud drygioni. Un peth arall – cofiwch ddod â'r tocyn hwn gyda chi, neu chewch chi ddim mynediad.

(Arwyddwyd) Wili Wonka.'

'Diwrnod cyntaf mis *Chwefror*!' gwaeddodd Mrs Bucket. 'Ond *yfory* yw hynny! Mae heddiw yn ddiwrnod olaf mis Ionawr. *Dwi'n gwybod ei bod hi!'*

'Arswyd y byd!' meddai Mr Bucket. 'Dwi'n credu dy fod ti'n iawn!'

'Dim ond ei gwneud hi wnest ti!' gwaeddodd Tad-cu Joe. 'Does dim eiliad i'w golli. Rhaid i ti ddechrau paratoi ar unwaith! Golcha dy wyneb, criba dy wallt, sgwria dy ddwylo, brwsia dy ddannedd, chwytha dy drwyn, torra dy ewinedd, glanha dy esgidiau, smwddia dy grys, ac er mwyn y nefoedd, rhaid i ti gael gwared â'r holl fwd 'na oddi ar dy drowsus! Rhaid i ti ymbaratoi, 'machgen i! Rhaid i ti ymbaratoi ar gyfer diwrnod mwyaf dy fywyd!'

'Nawr peidiwch â chyffroi gormod, Dad-cu,' meddai Mrs Bucket. 'A pheidiwch â drysu Charlie druan. Rhaid i bob un ohonon ni geisio cadw'n dawel. Nawr, y peth cyntaf i'w benderfynu yw hyn – pwy sy'n mynd i fynd gyda Charlie i'r ffatri?

'Fe af i!' gwaeddodd Tad-cu Joe, gan neidio o'r gwely unwaith eto. 'Fe af i â fe! Fe ofala i ar ei ôl e! Gadewch hynny i fi!'

Gwenodd Mrs Bucket ar yr hen ddyn, yna trodd at ei gŵr a dweud, 'Beth amdanat ti, cariad? Dwyt ti ddim yn meddwl mai *ti* ddylai fynd?'

'Wel …' meddai Mr Bucket, gan oedi i feddwl am y peth, 'na … dwi ddim yn siŵr y dylwn i.'

'Ond mae *rhaid* i ti.'

'Does dim *rhaid*, cariad,' meddai Mr Bucket yn dyner. 'Cofia di, byddwn i'n *dwlu* mynd. Bydd hi'n ddiwrnod hynod o gyffrous. Ond ar y llaw arall … dwi'n credu mai'r person sydd wir yn *haeddu* mynd fwyaf yw Tad-cu Joe ei hun. Mae e fel petai e'n gwybod mwy am y cyfan na ni. A bwrw, wrth gwrs, ei fod e'n teimlo'n ddigon da …'

'Hwrêêêêêê!' gwaeddodd Tad-cu Joe, gan gydio yn Charlie gerfydd ei ddwylo a dawnsio o gwmpas yr ystafell.

'Does dim dwywaith ei fod e'n *edrych* yn ddigon da,' meddai Mrs Bucket, gan chwerthin. 'Ie … efallai dy fod ti'n iawn wedi'r cyfan. Efallai mai Tad-cu Joe ddylai fynd gydag e. Alla i ddim mynd fy hunan yn sicr a gadael y tri hen berson arall ar eu pennau eu hunain yn y gwely am ddiwrnod cyfan.'

'Haleliwia!' bloeddiodd Tad-cu Joe. 'Molwch yr Arglwydd!'

Yna daeth cnoc uchel ar ddrws y ffrynt. Aeth Mr Bucket i'w agor e, a'r eiliad nesaf roedd heidiau o ddynion papur newydd a ffotograffwyr yn llifo i mewn i'r tŷ. Roedden nhw wedi canfod pwy ddaeth o hyd i'r pumed Tocyn Aur, a nawr roedd pob un ohonyn nhw eisiau cael y stori lawn ar gyfer tudalennau blaen papurau'r bore. Am oriau lawer, roedd hi fel ffair yn y tŷ bychan, a rhaid ei bod bron yn hanner nos cyn y llwyddodd Mr Bucket i gael gwared arnyn nhw fel y gallai Charlie fynd i'w wely.

13

Y Diwrnod Mawr yn Cyrraedd

Roedd yr haul yn disgleirio'n llachar ar fore'r diwrnod mawr, ond roedd popeth yn wyn dan eira a'r awyr yn oer iawn.

Y tu allan i gatiau ffatri Wonka, ychydig cyn deg o'r gloch, roedd tyrfa enfawr wedi ymgasglu i wylio'r pump lwcus oedd â thocynnau'n mynd i mewn. Roedd y cyffro'n anhygoel. Roedd y dyrfa'n gwthio ac yn gweiddi, ac roedd heddlu wedi cysylltu dwylo'n ceisio eu cadw draw o'r gatiau.

Yn union wrth ochr y gatiau, mewn grŵp bychan wedi'i amddiffyn yn ofalus rhag y dyrfa gan yr heddlu, safai'r pum plentyn enwog, ynghyd â'r oedolion oedd wedi dod gyda nhw.

Roedd Tad-cu Joe, yn dal ac esgyrnog, i'w weld yn sefyll yn dawel yn eu plith, ac wrth ei ochr, yn cydio'n dynn yn ei law, roedd Charlie Bucket bach ei hun.

Roedd pob un o'r plant, heblaw am Charlie, wedi dod â'u mamau a'u tadau gyda nhw, a da o beth oedd hynny, gan y gallai popeth fod wedi mynd dros ben llestri oni bai am hynny. Roedden nhw mor awyddus i ddechrau arni fel bod eu rhieni'n gorfod eu dal nhw'n ôl i'w rhwystro rhag dringo dros y gatiau. 'Bydd yn amyneddgar!' gwaeddai'r tadau. 'Bydd yn llonydd! Dyw hi ddim yn *bryd* eto! Dyw hi ddim yn ddeg o'r gloch!'

Y tu ôl iddo, gallai Charlie Bucket glywed ambell waedd gan y bobl yn y dyrfa wrth iddynt wthio ac ymladd i gael cip ar y plant enwog.

'Violet Beauregarde yw honna!' clywodd rywun yn gweiddi. 'Hi yw hi'n siŵr i chi! Dwi'n cofio'i hwyneb hi o'r papurau newydd!'

'Ac ydych chi'n gwybod beth?' gwaeddodd rhywun arall 'nôl. 'Mae hi'n dal i gnoi'r hen ddarn

ofnadwy o gwm sydd wedi bod gyda hi am dri mis! Edrychwch arni wir! Mae hi'n dal wrthi!'

'Pwy yw'r bachgen mawr tew?'

'Augustus Gloop yw hwnna!'

'Ie'n wir!'

'Mae e'n glamp o fachgen, on'd yw e!'

'Anhygoel!'

'Pwy yw'r plentyn â llun o'r Lone Ranger ar ei gôt law?'

'Mike Teavee yw hwnna! Fe yw'r un sy'n gwylio'r teledu drwy'r dydd!'

'Mae'n rhaid ei fod e'n ddwl bared! Edrychwch ar yr holl ddryllau tegan 'na sy'n hongian drosto i gyd!'

'Yr un dwi eisiau ei gweld yw Veruca Salt!' gwaeddodd llais arall yn y dyrfa. 'Hi yw'r ferch y prynodd ei thad hi hanner miliwn o fariau siocled a gorfodi gweithwyr ei ffatri cnau mwnci i dynnu'r papur oddi ar bob un ohonyn nhw tan iddyn nhw ddod o hyd i Docyn Aur! Mae e'n rhoi popeth mae hi'i eisiau iddi. Popeth! Dim ond dechrau sgrechian amdano fe sydd rhaid iddi hi ac mae hi'n ei gael e!'

'Ofnadwy, on'd yw e?'

'Dychrynllyd, ddwedwn i!'

'Pa un yw hi, dych chi'n meddwl?'

'Honna! Draw fan yna ar y chwith! Y ferch fach yn y got arian o groen minc!'

'Pa un yw Charlie Bucket?'

'Charlie Bucket? Rhaid mai fe yw'r llipryn bach tenau 'na sy'n sefyll ar bwys yr hen ddyn sy'n edrych fel sgerbwd. Fan'na ar ein pwys ni. Fan'na! Welwch chi fe?'

'Pam nad yw e'n gwisgo cot yn y tywydd oer yma?'

'Peidiwch â gofyn i mi. Falle nad yw e'n gallu fforddio prynu un.'

'Mawredd mawr! Rhaid ei fod e'n rhynnu!'

Dyma Charlie, a oedd yn sefyll rai camau'n unig oddi wrth y person oedd yn siarad, yn gwasgu llaw Tad-cu Joe, ac edrychodd yr hen ddyn i lawr ar Charlie a gwenu.

Rywle yn y pellter, dechreuodd cloc eglwys daro deg.

Yn araf iawn, a'r colfachau rhydlyd yn gwichian, dechreuodd gatiau haearn anferth y ffatri agor.

Yn sydyn aeth y dyrfa'n fud. Peidiodd y plant â neidio o gwmpas. Roedd pob llygad wedi'i hoelio ar y gatiau.

'*Dyna fe!*' gwaeddodd rhywun. '*Hwnna yw e!*'

Ac yn wir, fe oedd e!

14

Mr Wili Wonka

Roedd Mr Wonka'n sefyll ar ei ben ei hun yn union y tu fewn i gatiau agored y ffatri.

A dyna ddyn hynod oedd e!

Roedd ganddo het silc ddu am ei ben.

Gwisgai got felfed gynffon fain o liw eirin hyfryd.

Roedd ei drowsus yn wyrdd tywyll.

Roedd ei fenig yn llwyd golau.

Ac mewn un llaw, cydiai mewn ffon gerdded hyfryd ac aur ar ei phen.

Ar ei ên, roedd barf fechan, daclus, bigfain, ddu – locsyn bwch gafr. Ac roedd ei lygaid yn ysblennydd o ddisglair. Roedden nhw fel petaen nhw'n pefrio ac yn serennu arnoch chi o hyd. Roedd ei wyneb i gyd, mewn gwirionedd, wedi'i oleuo gan hwyl a chwerthin.

Ac o, edrychai mor glyfar! Mor gyflym a deallus a llawn bywyd! Gwnâi symudiadau bach sydyn â'i ben o hyd, gan ei droi'r naill ffordd a'r llall, a sylwi ar bopeth â'r llygaid pefriog disglair yna. Roedd e fel wiwer o ran ei symudiadau cyflym, fel hen wiwer glyfar a chyflym o'r parc.

Yn sydyn, gwnaeth ddawns fach herciog ddoniol yn yr eira, ac agorodd ei freichiau ar led, a gwenu ar y pum plentyn oedd wedi ymgasglu ar bwys y gatiau, a galw'n uchel, 'Croeso, fy ffrindiau bach! Croeso i'r ffatri!'

Roedd ei lais yn uchel ac yn fain. 'A wnewch chi ddod yn eich blaenau fesul un, os gwelwch yn dda,' galwodd, 'a dewch â'ch rhieni gyda chi. Yna dangoswch eich Tocynnau Aur i mi a dwedwch wrtha i beth yw eich enw. Pwy sydd gyntaf?'

Camodd y bachgen mawr tew ato. 'Augustus Gloop ydw i,' meddai.

'Augustus!' gwaeddodd Mr Wonka, gan gydio yn ei law a'i hysgwyd i fyny ac i lawr yn egnïol iawn. 'Fy machgen *annwyl*, mae'n *braf* dy weld di! Hyfryd! Gwych! Dwi wrth fy modd dy gael di gyda ni! A'r *rhain* yw dy rieni di? Dyna *hyfryd*! Dewch i mewn! Dewch i mewn! Dyna chi! Camwch drwy'r gatiau!'

Roedd hi'n amlwg fod Mr Wonka mor llawn o gyffro â phawb arall.

'Fy enw i,' meddai'r plentyn nesaf i fynd ymlaen, 'yw Veruca Salt.'

'Veruca *annwyl*! Sut *wyt* ti? Mae hyn yn bleser o'r mwya! *Mae* enw diddorol gyda ti, on'd oes e? Ro'n i wastad yn meddwl mai math o ddafaden sy'n tyfu ar wadnau traed pobl oedd ferwca! Ond dwi'n anghywir mae'n rhaid! On'd wyt ti'n edrych yn hyfryd yn y got fendigedig yna o groen minc! Dwi mor falch dy fod ti wedi gallu dod! Wel, mae hwn yn mynd i fod yn ddiwrnod *mor* gyffrous! Dwi *yn* gobeithio y byddwch chi'n ei fwynhau e! Dwi'n siŵr y *gwnewch* chi! Dy dad? Sut mae'r *hwyl*? Mr Salt? A Mrs Salt? Wrth fy modd o gael eich gweld chi! Ydy, mae'r tocyn yn *gwbl* iawn! Ewch i mewn, os gwelwch yn dda!'

Daeth y ddau blentyn nesaf, Violet Beauregarde a Mike Teavee, yn eu blaen i gael eu tocynnau wedi'u harchwilio ac yna i gael eu breichiau fwy neu lai wedi'u hysgwyd oddi wrth eu hysgwyddau gan yr egnïol Mr Wonka.

Ac yna'n olaf, sibrydodd llais bach nerfus, 'Charlie Bucket.'

'Charlie!' gwaeddodd Mr Wonka. 'Wel, wel, wel! Felly *dyma* ti! Ti yw'r un ddaeth o hyd i'r tocyn ddoe ddiwetha, onid e? Darllenais i'r *cyfan* yn y papurau newydd y bore 'ma! *Dim ond* ei gwneud hi, fachgen annwyl! Dwi mor falch! Mor hapus drosot ti! A hwn? Dy dad-cu? Pleser yw cwrdd â chi, syr! Dwi wedi gwirioni! Wrth fy modd! Wedi dwlu! O'r gore! Ardderchog! Ydy pawb i mewn nawr? Pum plentyn? Ydyn! Da iawn! Nawr a wnewch chi fy nilyn i! Mae ein taith ar fin dechrau! Ond *wnewch* chi gadw gyda'ch gilydd! *Plîs* peidiwch â chrwydro bant ar eich pennau eich hunain! Fyddwn i ddim eisiau colli unrhyw un ohonoch chi ar *hyn* o bryd! O'r annwyl, na fyddwn!'

Edrychodd Charlie'n sydyn yn ôl dros ei ysgwydd a gweld y gatiau haearn anferth yn cau y tu ôl iddo. Roedd y dyrfa'r tu allan yn dal i wthio a gweiddi. Edrychodd Charlie arnynt am y tro olaf. Yna, wrth i'r gatiau gau'n glep, diflannodd pob golwg o'r byd y tu allan.

'Dyma ni!' gwaeddodd Mr Wonka, gan drotian o flaen y grŵp. 'Drwy'r drws mawr coch yma, os gwelwch chi'n dda. *Dyna* ni! Mae'n gynnes braf y tu mewn. Rhaid i mi gadw tu mewn y ffatri'n gynnes achos y gweithwyr. Mae fy ngweithwyr i'n gyfarwydd â hinsawdd boeth iawn! Dydyn nhw ddim yn gallu dioddef yr oerfel! Bydden nhw'n marw tasen nhw'n mynd allan yn y tywydd hwn! Bydden nhw'n rhewi i farwolaeth!'

'Ond pwy *yw* y gweithwyr hyn?' holodd Augustus Gloop.

'Popeth mewn da bryd, 'machgen annwyl i!' meddai Mr Wonka, gan wenu ar Augustus. 'Bydd yn amyneddgar. Fe weli di bopeth wrth i ni fynd yn ein blaenau! Ydych chi gyd i mewn? Da iawn! A fyddech chi cystal â chau'r drws? Diolch yn fawr!'

Cafodd Charlie Bucket ei hun yn sefyll mewn coridor hir oedd yn ymestyn o'i flaen cyn belled ag y gallai weld. Roedd y coridor mor llydan fel y gallai car fod wedi cael ei yrru'n rhwydd ar hyd iddo. Roedd y waliau'n binc golau, a'r golau'n wan a dymunol.

'Dyna gynnes braf!' sibrydodd Charlie.

'Ie. A dyna arogl rhyfeddol!' atebodd Tad-cu Joe, gan ffroeni'n hir a dwfn. Roedd fel petai holl aroglau mwyaf gwych y byd wedi eu cymysgu yn yr awyr o'u cwmpas nhw – arogl coffi'n rhostio a siwgr wedi llosgi a siocled yn toddi a mintys a fioled a cnau cyll wedi'u gwasgu a blodau afalau a thaffi a chroen lemwn …

Ac yn bell i ffwrdd yn y pellter, o grombil y ffatri anferth, daeth rhu o egni tawel fel petai rhyw beiriant anferth o fawr yn troelli ei olwynion fel y gwynt.

'Nawr *hwn*, blant annwyl,' meddai Mr Wonka, gan godi ei lais uwchben y sŵn, 'hwn yw'r prif goridor. A fyddech chi cystal â hongian eich cotiau a'ch hetiau ar y pegiau yna draw fan acw, ac wedyn fy nilyn i. *Dyna* ni! Da iawn! Ydy pawb yn barod? Dewch yn eich blaen, 'te! Bant â ni!' Dechreuodd drotian yn gyflym i lawr y coridor gyda chynffon ei got felfed o liw eirin yn fflapian y tu ôl iddo, a brysiodd yr ymwelwyr i gyd ar ei ôl.

Roedd yn griw eitha mawr o bobl, wrth feddwl am y peth. Roedd naw oedolyn a phum plentyn, un deg pedwar i gyd. Felly gellwch chi ddychmygu bod cryn dipyn o wthio a hwpo i lawr y coridor, wrth geisio dal i fyny â'r person bach cyflym o'u blaenau nhw. 'Dewch yn eich *blaen*!' gwaeddodd Mr Wonka. 'Wnewch chi hastu, os gwelwch yn dda! Ddown ni *byth* i ben â mynd o gwmpas heddiw os ydych chi'n tindroi fel hyn!'

Yn sydyn, trodd i'r dde oddi ar y prif goridor i goridor arall oedd ychydig yn gulach.

Yna trodd i'r chwith.

Yna i'r chwith eto.

Yna i'r dde.

Yna i'r chwith.

Yna i'r dde.

Yna i'r dde.

Yna i'r chwith.

Roedd y lle fel perfedd mochyn, gyda choridorau'n arwain y naill ffordd a'r llall i bob cyfeiriad.

'Paid â gollwng fy llaw i, Charlie,' sibrydodd Tad-cu Joe.

'Sylwch fel y mae'r coridorau hyn i gyd yn mynd ar i waered!' galwodd Mr Wonka. 'Rydyn ni nawr yn mynd o dan y ddaear! Mae *pob un* o'r ystafelloedd pwysicaf yn fy ffatri i yn ddwfn o dan yr wyneb!'

'Pam hynny?' gofynnodd rhywun.

'Fyddai dim *hanner* digon o le iddyn nhw uwchben!' atebodd Mr Wonka. 'Mae'r ystafelloedd hyn rydyn ni'n mynd i'w gweld yn *anferth*! Maen nhw'n fwy na chaeau pêl-droed! Fyddai dim un adeilad yn y *byd* yn ddigon mawr iddyn nhw! Ond i lawr fan yma, o dan y ddaear, mae gen i'r *holl* le sydd eisiau arna i. Does dim pen draw – dim ond i mi dyllu.'

Trodd Mr Wonka i'r dde.

Trodd i'r chwith.

Trodd i'r dde eto.

Roedd y coridorau'n mynd yn fwy ac yn fwy serth i lawr y rhiw nawr.

Yna'n sydyn, arhosodd Mr Wonka. O'i flaen, roedd drws metel sgleiniog. Ymgasglodd y criw o'i gwmpas. Ar y drws, mewn llythrennau mawr, roedd:

YR YSTAFELL SIOCLED

15

Yr Ystafell Siocled

'Ystafell bwysig yw hon!' gwaeddodd Mr Wonka, gan dynnu bwndel o allweddi o'i boced a llithro un i dwll clo'r drws. '*Dyma* ganolbwynt yr holl ffatri, calon yr holl fusnes! Ac mae hi mor *brydferth*! Dwi'n *mynnu* bod fy stafelloedd yn brydferth! Alla i ddim *dioddef* pethau hyll mewn ffatrïoedd! *I mewn* â ni, 'te! Ond *byddwch* yn ofalus, blant annwyl! Peidiwch â cholli eich pennau! Peidiwch â chyffroi'n ormodol! Cadwch yn dawel iawn!'

Agorodd Mr Wonka'r drws. Gwthiodd pum plentyn a naw oedolyn eu ffordd i mewn – ac *o,* dyna olygfa anhygoel oedd o flaen eu llygaid nawr!

Roedden nhw'n edrych i lawr ar ddyffryn hyfryd. Roedd dolydd gwyrddion bob ochr i'r dyffryn, ac ar ei waelod llifai afon fawr frown.

A mwy na hynny, roedd rhaeadr enfawr hanner ffordd i lawr yr afon – clogwyn serth yr oedd y dŵr yn cyrlio a rholio drosto yn llen solet, ac yna'n cwympo i lawr i drobwll berwedig yn corddi o ewyn.

O dan y rhaeadr (a hon oedd yr olygfa fwyaf hynod i gyd), roedd nifer fawr o bibau gwydr enfawr yn hongian i lawr i'r afon o rywle'n uchel yn y nenfwd!

Rhaid bod dwsin ohonyn nhw o leiaf, ac roedden nhw'n sugno'r dŵr mwdlyd brown o'r afon ac yn ei gario i ffwrdd i Duw a ŵyr ble. Ac am eu bod nhw wedi eu gwneud o wydr, gallech chi weld yr hylif yn llifo ac yn byrlymu y tu mewn iddyn nhw, ac uwchlaw sŵn y rhaeadr, gallech chi glywed sŵn sugn-sugn-sugno diddiwedd y pibau wrth iddyn nhw wneud eu gwaith.

Tyfai coed a pherthi gosgeiddig ar hyd glannau'r afon – helyg wylofus a gwern a llwyni tal o rhododendron gyda'u blodau pinc a choch a phorffor. Yn y dolydd tyfai miloedd o flodau menyn.

'*Dyna chi!*' gwaeddodd Mr Wonka, gan ddawnsio i fyny ac i lawr a phwyntio ei ffon â phen aur at yr afon frown. 'Siocled yw honna *i gyd*! Mae pob diferyn o'r afon yna'n siocled poeth wedi'i doddi – siocled o'r radd flaenaf. Y radd flaenaf *un*. Mae digon o siocled yn y fan yna i lenwi *pob* baddon yn y wlad! *A'r* holl byllau nofio i gyd! On'd yw e'n *wych*? Ac edrychwch ar fy mhibau i! Maen nhw'n sugno'r siocled a'i gario fe i ffwrdd i'r holl ystafelloedd eraill yn y ffatri lle mae ei angen e! Miloedd o litrau'r awr, blant annwyl! Miloedd ar filoedd o litrau!'

Roedd y plant a'u rhieni wedi eu synnu ormod i siarad. Roedden nhw wedi eu syfrdanu. Roedden nhw'n fud. Roedden nhw wedi'u drysu a'u dallu. Roedden nhw wedi eu llorio gan anferthedd yr holl beth. Safodd pawb yn stond a syllu.

'Mae'r rhaeadr yn *hynod* bwysig! Mae'n corddi'r siocled! Mae'n ei fwrw a'i guro fe! Mae'n ei wneud e'n ysgafn ac yn llawn ewyn! Does dim un ffatri arall yn y byd yn cymysgu ei siocled drwy ddefnyddio rhaeadr! Ond dyna'r *unig* ffordd i'w wneud e'n iawn! Yr *unig* ffordd! Ac ydych chi'n hoffi fy nghoed i?' gwaeddodd, gan bwyntio â'i ffon. 'A fy mherthi hyfryd i? Ydych chi'n meddwl eu bod nhw'n edrych yn bert? Fe ddwedais i wrthoch chi 'mod i'n casáu pethau hyll! Ac wrth gwrs, maen nhw *i gyd* yn fwytadwy! Pob un wedi'i wneud o rywbeth gwahanol a blasus! Ac ydych chi'n hoffi fy nolydd i? A'r borfa a'r blodau menyn sydd gen i? Mae'r borfa rydych chi'n sefyll arni, blantos annwyl, wedi'i gwneud o fath newydd o siwgr blas mintys rydw i newydd ei ddyfeisio. Dwi'n ei alw fe'n tyffug! Profwch lafn ohono fe! Da chi! Mae e'n hynod o flasus!'

Heb feddwl, plygodd pawb a thynnu un blewyn o borfa – pawb, hynny yw, ond Augustus Gloop, a gymerodd lond dwrn.

A chyn profi ei blewyn hi o borfa, tynnodd Violet Beauregarde y darn gwm cnoi oedd wedi torri record y byd o'i cheg a'i lynu'n ofalus y tu ôl i'w chlust.

'On'd yw e'n *wych*!' sibrydodd Charlie. 'On'd oes blas hyfryd arno fe, Dad-cu?'

'Gallwn i fwyta'r *cae* i gyd!' meddai Tad-cu Joe, gan wenu'n hapus. 'Gallwn i fynd ar fy mhedwar fel buwch a phori pob blewyn o borfa yn y cae!'

'Profwch un o'r blodau menyn!' gwaeddodd Mr Wonka. 'Maen nhw hyd yn oed yn *fwy blasus*!'

Yn sydyn, roedd yr awyr yn llawn sgrechfeydd o gyffro mawr. Sgrechfeydd Veruca Salt oedden nhw. Roedd hi'n pwyntio'n wyllt tuag at ochr draw'r afon. '*Edrychwch!* Edrychwch draw fan'na!' sgrechiodd. 'Beth *yw* e? Mae e'n symud! Mae e'n cerdded! *Person* bach yw e! *Dyn* bach yw e! Lawr fan'na islaw'r rhaeadr!'

Peidiodd pawb â chasglu blodau menyn a syllu ar draws yr afon.

'*Mae hi'n iawn, Dad-cu*!' gwaeddodd Charlie. 'Dyn bach *yw* e! Weli di fe?'

'Fe wela i e, Charlie!' meddai Tad-cu Joe yn llawn cyffro.

A nawr dechreuodd pawb weiddi ar yr un pryd.

'Mae *dau* ohonyn nhw!'

'Mawredd mawr, *mae* dau hefyd!'

'Mae mwy na dau! Mae un, dau, tri, pedwar, pump!'

'Beth maen nhw'n ei *wneud*?'

'O ble maen nhw'n *dod*?'

'Pwy *ydyn* nhw?'

Rhuthrodd y plant a'r rhieni fel ei gilydd i lawr i lan yr afon i gael golwg fanylach.

'On'd ydyn nhw'n *wych*!'

'Ddim talach na 'mhen-glin i!

'Edrychwch ar eu gwallt hir rhyfedd nhw!'

Roedd y dynion pitw – doedden nhw ddim yn fwy na doliau canolig eu maint – wedi stopio beth roedden nhw'n ei wneud a nawr roedden nhw'n syllu'n ôl ar draws yr afon ar yr ymwelwyr. Pwyntiodd un ohonyn nhw at y plant, ac yna sibrydodd rywbeth wrth y pedwar arall, a dechreuodd pob un o'r pump ohonyn nhw chwerthin yn uchel.

'Ond allan nhw ddim bod yn bobl *go iawn*,' meddai Charlie.

'Wrth gwrs eu bod nhw'n bobl go iawn,' atebodd Mr Wonka. 'Wmpalwmpas ydyn nhw.'

16

Yr Wmpalwmpas

'Wmpalwmpas!' meddai pawb ar unwaith. '*Wmpalwmpas!*'

'Wedi'u mewnforio'n syth o wlad yr Wmpalwmpas,' meddai Mr Wonka'n falch.

'Ond does dim o'r fath le'n bod,' meddai Mrs Salt.

'Esgusodwch fi, wraig annwyl, ond ...'

'*Mr Wonka,*' meddai Mrs Salt. 'Athrawes ddaearyddiaeth ydw i ...'

'Yna byddwch chi'n gwybod popeth am y lle,' meddai Mr Wonka. 'Ac o, dyna wlad ofnadwy yw hi! Dim byd ond jyngl tew a heidiau o'r bwystfilod mwyaf peryglus yn y byd yn byw yno – hornswogglers a snozzwangers a'r whangdoodles drwg ofnadwy yna. Byddai whangdoodle yn bwyta deg Wmpalwmpa i frecwast a dod 'nôl ar garlam i gael mwy. Pan es i draw yno, des i o hyd i'r Wmpalwmpas bach yn byw mewn tai yn y coed. Roedd *rhaid* iddyn nhw fyw yn y tai yn y coed i ddianc rhag y whangdoodles a'r hornswogglers a'r snozzwangers. Ac roedden nhw'n byw ar lindys gwyrdd, ac roedd y lindys yn blasu'n ffiaidd, a byddai'r Wmpalwmpas yn treulio pob eiliad o'r dydd yn dringo o frig un goeden i'r llall yn chwilio am bethau eraill i'w malu gyda'r lindys i wneud iddyn nhw flasu'n well – chwilod coch, er enghraifft, a dail ewcalyptws, a rhisgl y goeden bong-bong, bob un ohonyn nhw'n ffiaidd, ond heb fod lawn mor ffiaidd â'r lindys. Druan â'r Wmpalwmpas bach! Y bwyd roedden nhw'n ysu amdano fwyaf oedd ffa coco. Ond roedd ffa coco'n brin eithriadol. Byddai un Wmpalwmpa'n lwcus petai'n dod o hyd i dair neu bedair ffeuen goco'r flwyddyn. Ond o, roedden nhw'n dyheu amdanyn nhw gymaint. Roedden nhw'n arfer breuddwydio am ffa coco drwy'r nos a siarad amdanyn nhw drwy'r dydd. Byddai dim ond *crybwyll* y gair "coco" wrth Wmpalwmpa'n ddigon i dynnu dŵr o'i ddannedd. Y ffeuen goco,' aeth Mr Wonka yn ei flaen, 'sy'n tyfu ar y goeden goco yw *y peth* fel mae'n digwydd y mae siocled i gyd wedi'i wneud ohono. Allwch chi ddim gwneud siocled heb y

ffeuen goco. Y ffeuen goco *yw* siocled. Dwi fy hunan yn defnyddio biliynau o ffa coco bob wythnos yn y ffatri hon. Ac felly, blant annwyl, cyn gynted ag y clywais fod yr Wmpalwmpas yn dwlu ar y bwyd arbennig hwn, dringais i fyny i'w pentref o dai yn y coed a gwthio fy mhen drwy ddrws y tŷ oedd yn perthyn i arweinydd y llwyth. Eisteddai'r truan bach fan'ny, yn edrych yn denau ac yn llwglyd, yn ceisio bwyta powlenaid o lindys gwyrdd wedi'u stwnsio, heb fynd yn dost. "Gwrandewch," meddwn i (nid Cymraeg a siaradwn, wrth gwrs, ond Wmpalwmpeg), "gwrandewch, os dewch chi â'ch holl bobl 'nôl i fy ngwlad i a byw yn fy ffatri i, fe gewch chi faint *fynnoch* chi o gnau coco! Mae mynyddoedd ohonyn nhw gyda fi yn fy stordai! Fe gewch chi ffa coco i bob pryd o fwyd! Fe gewch chi lenwi eich boliau â nhw! Fe dala i eich cyflog mewn ffa coco hyd yn oed os ydych chi eisiau!"

'"Ydych chi wir yn golygu hynny?" gofynnodd arweinydd yr Wmpalwmpas, gan neidio o'i gadair.

'"Wrth gwrs," meddwn i. "Ac fe gewch chi siocled hefyd. Mae siocled yn blasu hyd yn oed yn well na ffa coco achos 'mod i'n ychwanegu llaeth a siwgr ato fe."

'Dyma'r dyn bach yn bloeddio mewn llawenydd a thaflu ei bowlenaid lindys wedi'u stwnsio o ffenest y tŷ yn y goeden. "Iawn 'te, bargen!" gwaeddodd. "Dewch! Gadewch i ni fynd!"

'Felly des i â nhw draw yma mewn llong, pob dyn, menyw, a phlentyn o lwyth yr Wmpalwmpas. Roedd hi'n dasg hawdd. Fe smyglais i nhw draw mewn bocsys pacio mawr a thyllau ynddyn nhw, a chyrhaeddodd pob un yn ddiogel. Maen nhw'n weithwyr gwych. Maen nhw i gyd yn siarad Cymraeg nawr. Maen nhw'n dwlu ar ddawnsio a cherddoriaeth. Maen nhw o hyd yn cyfansoddi caneuon. Mae'n debyg y byddwch chi'n clywed cryn dipyn o ganu heddiw bob hyn a hyn. Rhaid i mi eich rhybuddio chi, serch hynny, eu bod nhw ychydig yn ddrygionus. Maen nhw'n hoffi jôc. Maen nhw'n dal i wisgo'r un math o ddillad roedden nhw'n eu gwisgo yn y jyngl. Maen nhw'n mynnu gwneud. Dim ond croen carw mae'r dynion yn ei wisgo, fel y gwelwch chi drosoch eich hunain yr ochr draw i'r afon. Mae'r menywod yn gwisgo dail, a dyw'r plant ddim yn gwisgo dim byd o gwbl. Mae'r menywod yn defnyddio dail ffres bob dydd ...'

'*Dadi!*' gwaeddodd Veruca Salt (y ferch oedd yn cael popeth roedd hi eisiau). '*Dadi!* Dwi eisiau Wmpalwmpa! Dwi eisiau i ti gael Wmpalwmpa i mi! Dwi eisiau Wmpalwmpa y funud hon! Dwi eisiau mynd ag un adre gyda fi! Cer, Dadi! Cer i nôl Wmpalwmpa i fi!'

'Nawr, nawr, cariad bach!' meddai ei thad wrthi, 'paid â thorri ar draws Mr Wonka.'

'*Ond dwi eisiau Wmpalwmpa!*' sgrechiodd Veruca.

'O'r *gorau*, Veruca, o'r *gorau*. Ond alla i ddim cael un i ti'r eiliad hon. Bydd yn amyneddgar, da ti. Fe wna i'n siŵr dy fod ti'n cael un cyn diwedd y dydd.'

'Augustus!' gwaeddodd Mrs Gloop. 'Augustus, cariad, dwi ddim yn meddwl y dylet ti fod yn gwneud *hynna*.' Roedd Augustus Gloop, fel y gallech chi ddyfalu, wedi sleifio'n dawel i lan yr afon, a nawr roedd e'n penlinio ar lan yr afon, yn codi siocled poeth wedi toddi i'w geg cymaint fyth ag y gallai.

17

Augustus Gloop yn Mynd i fyny'r Biben

Pan drodd Mr Wonka a gweld beth roedd Augustus Gloop yn ei wneud, gwaeddodd yn uchel, 'O, na! *Plîs*, Augustus, *plîs*! Dwi'n ymbil arnat ti i beidio â gwneud hynna. Chaiff dim un llaw ddynol gyffwrdd â fy siocled i."

'Augustus!' galwodd Mrs Gloop. 'Chlywest ti ddim beth ddywedodd y dyn? Dere 'nôl o'r afon 'na ar unwaith!'

'Mae'r stwff yma'n wych!' meddai Augustus, heb gymryd y mymryn lleiaf o sylw o'i fam na Mr Wonka. 'Wir, mae angen bwced arna i i'w yfed e'n iawn!'

'Augustus!' gwaeddodd Mr Wonka, gan neidio i fyny ac i lawr ac ysgwyd ei ffon yn yr awyr, '*rhaid* i ti ddod 'nôl o'r afon. Rwyt ti'n gwneud fy siocled i'n frwnt!'

'Augustus!' gwaeddodd Mrs Gloop.

'Augustus!' gwaeddodd Mr Gloop.

Ond doedd Augustus ddim yn clywed dim heblaw am alwad ei stumog enfawr. Roedd e nawr yn gorwedd ar ei hyd ar lawr a'i ben ymhell dros yr afon, yn llepian y siocled fel ci.

'Augustus!' gwaeddodd Mrs Gloop. 'Byddi di'n rhoi'r hen annwyd cas 'na sydd arnat ti i ryw filiwn o bobl dros y wlad i gyd!'

‘Bydd yn ofalus, Augustus!’ gwaeddodd Mr Gloop. ‘Rwyt ti’n pwyso mas yn rhy bell!’

Roedd Mr Gloop yn hollol iawn. Oherwydd yn sydyn daeth sgrech, ac yna sblash, ac i mewn i’r afon yr aeth Augustus Gloop, ac mewn eiliad roedd e wedi diflannu o dan arwyneb brown yr afon.

‘Achub e!’ gwaeddodd Mrs Gloop gan chwifio’i hymbarél o gwmpas, a’i hwyneb yn mynd yn welw. ‘Fe fydd e’n boddi! Dyw e ddim yn gallu nofio! Achub e! Achub e!’

‘Nefoedd wen, fenyw,’ meddai Mr Gloop, ‘dwi ddim yn plymio i mewn fan’na! Dwi’n gwisgo fy siwt orau!’

Daeth wyneb Augustus Gloop i fyny eto i’r wyneb, wedi’i baentio’n frown â siocled. ‘Help! Help! Help!’ gwaeddodd. ‘Tynnwch fi mas!’

‘Paid â *sefyll* fan’na!’ sgrechiodd Mrs Gloop ar Mr Gloop. ‘*Gwna* rywbeth!’

‘Dwi *yn* gwneud rhywbeth!’ meddai Mr Gloop, a oedd bellach yn tynnu ei siaced ac yn paratoi i blymio i’r siocled. Ond tra oedd e’n gwneud hynny, câi’r bachgen druan ei sugno’n nes ac yn nes at

geg un o'r pibau anferth oedd yn hongian i lawr i'r afon. Yna'n sydyn, gafaelodd y sugno cryf ynddo'n llwyr, a chafodd ei dynnu o dan yr wyneb ac yna i geg y biben.

Daliodd y bobl ar lan yr afon eu hanadl i weld ble byddai'n dod allan.

'*Dyna fe'n mynd!*' gwaeddodd rhywun, gan bwyntio i fyny.

Ac yn wir, gan fod y biben wedi'i gwneud o wydr, roedd Augustus Gloop i'w weld yn amlwg yn saethu i fyny y tu mewn iddi, a'i ben gyntaf, fel torpido.

'Help! Mwrdwr! Heddlu!' sgrechiodd Mrs Gloop. 'Augustus, dere 'n ôl ar unwaith! Ble rwyt ti'n mynd?'

'Mae'n syndod i fi,' meddai Mr Gloop,' fod y biben 'na'n ddigon mawr iddo fe fynd drwyddi.'

'Dyw hi *ddim* yn ddigon mawr!' meddai Charlie Bucket. 'O diar, edrychwch! Mae e'n arafu!'

'Ydy, wir!' meddai Tad-cu Joe.

'Mae e'n siŵr o fynd yn sownd!' meddai Charlie.

'Dwi'n meddwl ei fod e!' meddai Tad-cu Joe.

'O'r mawredd, ydy, mae e *wedi* mynd yn sownd!' meddai Charlie.

'Ei stumog e oedd y drwg!' meddai Mr Gloop.

'Mae e wedi blocio'r biben i gyd!' meddai Tad-cu Joe.

'Malwch y biben!' gwaeddodd Mrs Gloop, oedd yn dal i chwifio ei hymbarél. 'Augustus, dere mas o fan'na ar unwaith!'

Gallai'r gwylwyr islaw weld y siocled yn llifo o gwmpas y bachgen yn y biben, a gallen nhw ei weld e'n cronni y tu ôl iddo'n don gref, gan wthio yn ei erbyn. Roedd y pwysedd yn anhygoel. Roedd rhaid i rywbeth ildio. Ac fe ildiodd rhywbeth, ac Augustus oedd y rhywbeth hwnnw. *WWWFF!* Saethodd i fyny unwaith eto fel bwled ym maril dryll.

'Mae e wedi diflannu!' gwaeddodd Mrs Gloop. 'I ble mae'r biben 'na'n mynd? Glou! Galwch y frigad dân!'

'Peidiwch â chynhyrfu!' gwaeddodd Mr Wonka. 'Peidiwch â chynhyrfu, wraig annwyl, peidiwch â chynhyrfu. Does dim perygl! Dim perygl o gwbl! Mae Augustus wedi mynd ar daith fach, dyna i gyd. Taith fach hynod o ddiddorol. Ond fe ddaw e mas yn iawn, fe gewch chi weld.'

'Sut gall e ddod mas yn iawn?' meddai Mrs Gloop yn grac. 'Fe gaiff ei droi'n falws melys mewn pum eiliad!'

'Amhosibl!' gwaeddodd Mr Wonka. 'Byth bythoedd! Hollol amhosibl! Allai fe byth gael ei droi'n falws melys!'

'A pham lai, ga i ofyn?' gwaeddodd Mrs Gloop.

'Achos dydy'r biben 'na ddim yn mynd yn agos at y malws melys! Mae'r biben 'na – yr un yr aeth Augustus i fyny iddi – yn digwydd mynd yn uniongyrchol i'r ystafell lle dwi'n gwneud math hynod flasus o gyffug blas mefus a siocled drosto …'

'Yna fe gaiff ei droi'n gyffug blas mefus a siocled drosto!' sgrechiodd Mrs Gloop. 'Augustus druan! Fe fyddan nhw'n ei werthu fe fesul pwys dros y wlad i gyd bore fory!'

'Yn union,' meddai Mr Gloop.

'Dwi'n gwybod 'mod i'n iawn,' meddai Mrs Gloop.

'Mae hyn y tu hwnt i jôc,' meddai Mr Gloop.

'Dydy Mr Wonka ddim yn edrych fel tasai fe'n

meddwl hynny!' gwaeddodd Mrs Gloop. 'Edrych arno fe! Mae e yn ei ddyblau'n chwerthin! Rhag *cywilydd* i chi'n chwerthin fel yna a fy mab i newydd fynd i fyny'r biben! Y cythraul â chi!' sgrechiodd, gan bwyntio ei hymbarél at Mr Wonka fel petai'n mynd i'w drywanu. 'Rydych chi'n meddwl mai jôc yw hyn, ydych chi? Ydych chi'n meddwl mai jôc fawr yw sugno fy mab i i'ch Ystafell Gyffug chi?'

'Fe fydd e'n gwbl saff,' meddai Mr Wonka, gan giglan ychydig.

'Ond bydd ei'n troi'n gyffug siocled!' sgrechiodd Mrs Gloop.

'Na fydd, byth!' gwaeddodd Mr Wonka.

'Wrth gwrs y bydd e!' sgrechiodd Mrs Gloop.

'Faswn i ddim yn caniatáu hynny!' gwaeddodd Mr Wonka.

'A pham lai?' sgrechiodd Mrs Gloop.

'Achos byddai'r blas yn ofnadwy,' meddai Mr Wonka. 'Dychmygwch y peth! Gloop blas Augustus a siocled drosto! Fyddai neb yn ei brynu e.'

'Wrth gwrs y bydden nhw!' gwaeddodd Mr Gloop yn ddig.

'Alla i ddim dioddef meddwl am y peth!' sgrechiodd Mrs Gloop.

'Na finnau chwaith,' meddai Mr Wonka. 'A dwi'n addo i chi, madam, fod eich mab annwyl chi'n gwbl ddiogel.'

'Os ydy e'n gwbl ddiogel, yna ble mae e?' gofynnodd Mrs Gloop yn grac. 'Ewch â fi ato fe'r eiliad hon!'

Trodd Mr Wonka a chlicio ei fysedd yn sydyn, *clic, clic, clic,* dair gwaith. Yn syth, ymddangosodd Wmpalwmpa yn ddisymwth, a sefyll wrth ei bwys.

Ymgrymodd yr Wmpalwmpa a gwenu, gan ddangos dannedd gwyn hyfryd. Roedd ei groen yn wridog, ei wallt hir yn frown euraid, ac roedd corun ei ben ychydig uwchben pen-glin Mr Wonka. Roedd e'n gwisgo'r croen carw arferol wedi'i daflu dros ei ysgwydd.

'Nawr, gwrandawa arna i!' meddai Mr Wonka, gan edrych i lawr ar y dyn pitw bach. 'Dwi eisiau i ti fynd â Mr a Mrs Gloop i fyny i'r Ystafell Gyffug a'u helpu i ddod o hyd i'w mab, Augustus. Mae e newydd fynd i fyny'r biben.'

Edrychodd yr Wmpalwmpa ar Mrs Gloop a dechrau hollti ei fol yn chwerthin.

'O, bydd ddistaw!' meddai Mr Wonka. 'Pwylla nawr, paid â bod mor ddwl! Dydy Mrs Gloop ddim yn meddwl bod y peth yn ddoniol o gwbl!'

'Hollol iawn!' meddai Mrs Gloop.

'Cer yn syth i'r Ystafell Gyffug,' meddai Mr Wonka wrth yr Wmpalwmpa, 'ac ar ôl cyrraedd, cymer ffon fawr a dechreua brocio fan hyn a fan draw yn y gasgen gymysgu siocled fawr. Dwi bron yn siŵr taw dyna ble doi di o hyd iddo fe. Ond gwell i ti hastu! Bydd rhaid i ti frysio! Os caiff e ei adael am ormod o amser yn y gasgen cymysgu siocled, mae perygl y caiff e ei arllwys allan i'r peiriant berwi cyffug, a byddai hynny *yn* drychineb, oni fyddai? Fyddai dim modd bwyta fy nghyffug i *o gwbl* wedyn!'

Sgrechodd Mrs Gloop mewn cynddaredd.

'Dim ond jôc fach,' meddai Mr Wonka, gan giglan yn ddwl y tu ôl i'w farf. 'Do'n i ddim o ddifri. Maddeuwch i fi. Mae'n wir ddrwg 'da fi. Hwyl, Mrs Gloop! A Mr Gloop! Hwyl fawr! Fe wela i chi wedyn ...'

Wrth i Mr a Mrs Gloop a'r un bach oedd yn eu hebrwng frysio i ffwrdd, dechreuodd y pum Wmpalwmpa ar ochr draw'r afon neidio a dawnsio'n sydyn a churo'n wyllt ar nifer o ddrymiau bach iawn. 'Augustus Gloop!' oedd eu cân. 'Augustus Gloop! Augustus Gloop! Augustus Gloop!'

'Dad-cu!' gwaeddodd Charlie. 'Gwrandawa arnyn nhw, Dad-cu! Beth *maen* nhw'n ei wneud?'

'Bydd ddistaw!' sibrydodd Tad-cu Joe. 'Dwi'n credu eu bod nhw'n mynd i ganu cân i ni!'

Augustus Gloop! canodd yr Wmpalwmpas.
Augustus Gloop! Augustus glew!
Y twpsyn boliog mawr a thew!
A allem adael i'r fath fwystfil
Stwffio'n wancus fel anghenfil,
Llowcio popeth o bob siop?
Mawredd, na, roedd rhaid rhoi stop!
Rŷn ni'n siŵr bod neb yn falch
O fod yng nghwmni hwn, y gwalch,
Ac mae'n wir bod pawb yn gwybod
Na fyddai'r twpsyn ond yn boendod.
Felly, rhaid i ni'n ofalus
Gymryd yr hen grwt anffodus
A'i droi yn rhywbeth a all rywbryd
Ddod â phleser mawr i'n bywyd –
Car, er enghraifft, pêl neu lorri,
Ceffyl siglo, bat neu ddoli.
Ond roedd y bachgen hwn mor erchyll,
Yn debycach wir i ellyll,
Hen folgi tew, fel bod ei flas
I'n cegau ni yn hynod gas.
Felly cawsom syniad campus,
Sef troi y cnaf yn rhywbeth blasus.
Gwaeddodd pawb "Mae'n bryd i'r bachgen
Gael ei sugno lan y biben!
Rhaid ei gymryd! Rhaid ei gipio!
Ac yn fuan iawn fe wêl o
Yn y stafell lle mae'n glanio
Fod 'na bethau od yn stilio.
Peidiwch poeni, blant anwylaf
Chaiff Aneirin Glew ddim anaf,
Er na fydd e cweit 'run bachgen

A ddiflannodd lan y biben.
Caiff ei newid bron ar amrant,
Wedi'i wthio i mewn i'r peiriant
Sy'n gwneud cyffug; bydd olwynion
Anferth du a chogiau mawrion
Yn troi a throsi, yna'n sefyll;
Torri fydd y cannoedd cyllyll
Yna cyn i'r peiriant orffen
Ychwanegwn siwgr a hufen;
Yna byddwn yn ei ferwi
I wneud yn siŵr y bydd y diogi
A'r holl drachwant fu'n ei lethu
O'i holl gorff yn llwyr ddiflannu.
Yna mas â fe! Heb gelwydd,
Y mae gwyrth fawr wedi digwydd!
Mae'r gwalch roedd pawb yn ei gasáu
Nawr yn rhywbeth i'w fwynhau!
Mae pawb yn dwlu arno'n wir
O dref i dref, o sir i sir!
Achos fyddai neb yn sarrug
Wrth gael cynnig darn o gyffug!"

'Fe *ddwedes* i wrthoch chi eu bod nhw'n dwlu ar ganu!' gwaeddodd Mr Wonka. 'On'd ydyn nhw'n hyfryd? On'd ydyn nhw'n annwyl? Ond ddylech chi ddim credu gair maen nhw'n ei ddweud. Dwli yw'r cyfan, pob gair ohono fe!'

'Ai tynnu coes mae'r Wmpalwmpas, wir , Dad-cu?' gofynnodd Charlie.

'Wrth gwrs mai tynnu coes maen nhw,' atebodd Tad-cu Joe. 'Mae'n *rhaid* taw tynnu coes maen nhw. O leiaf, dwi'n gobeithio mai tynnu coes maen nhw. Beth wyt ti'n feddwl?'

18

I Lawr yr Afon Siocled

'Bant â ni!' gwaeddodd Mr Wonka. 'Brysiwch, bawb! Dilynwch fi i'r stafell nesaf! A pheidiwch, da chi, â phoeni am Augustus Gloop. Bydd e'n iawn yn y pen draw, mae'n siŵr. Maen nhw wastad yn iawn. Bydd rhaid i ni wneud rhan nesaf y siwrne mewn cwch! Dyma fe'n dod! Edrychwch!'

Codai tarth nawr o'r afon siocled gynnes fawr, ac yn sydyn o'r tarth ymddangosodd y cwch pinc mwyaf anhygoel. Cwch rhwyfo agored mawr oedd e gyda darn uchel yn y blaen a'r cefn (fel un o hen gychod y Llychlynwyr), ac roedd y lliw pinc yn disgleirio a phefrio cymaint fel bod yr holl beth yn edrych fel petai wedi'i wneud o wydr pinc, disglair. Roedd llawer o rwyfau ar bob ochr iddo, ac wrth i'r cwch ddod yn nes, gallai'r gwylwyr ar lan yr afon weld fod y rhwyfau'n cael eu tynnu gan nifer fawr o Wmpalwmpas – o leiaf ddeg ohonyn nhw i bob rhwyf.

'Dyma fy llong breifat i!' gwaeddodd Mr Wonka, gan wenu'n foddhaus. 'Fi wnaeth hi drwy dyllu losin enfawr wedi'u berwi! On'd yw hi'n hyfryd! Edrychwch sut mae hi'n torri drwy'r afon!'

Llithrodd y cwch losin pinc enfawr tuag at lan yr

afon. Gorffwysodd cant o Wmpalwmpas ar eu rhwyfau a syllu ar yr ymwelwyr. Yna'n sydyn, am ryw reswm, dechreuon nhw i gyd hollti eu boliau'n chwerthin.

'Beth sydd mor ddoniol?' gofynnodd Violet Beauregarde.

'O, paid â phoeni amdanyn *nhw*!' gwaeddodd Mr Wonka. 'Maen nhw o hyd yn chwerthin! Maen nhw'n meddwl mai jôc enfawr yw popeth! Neidiwch i'r cwch, bawb! Dewch nawr! Brysiwch!'

Cyn gynted ag yr oedd pawb i mewn yn saff, gwthiodd yr Wmpalwmpas y cwch o'r lan a dechrau rhwyfo'n gyflym i lawr yr afon.

'Hei, Mike Teavee!' gwaeddodd Mr Wonka. 'A wnei di beidio â llyfu'r cwch â dy dafod! Neu fe fydd e'n mynd yn ludiog i gyd!'

'Dadi,' meddai Veruca Salt,' dwi eisiau cwch fel hyn! Dwi eisiau i ti brynu cwch mawr o losin pinc wedi'u berwi yn union fel un Mr Wonka! A dwi eisiau llawer o Wmpalwmpas i fy rhwyfo i o gwmpas, a dwi eisiau afon siocled a dwi eisiau … dwi eisiau …'

'Eisiau cic yn ei phen-ôl sydd arni hi,' sibrydodd Tad-cu Joe wrth Charlie. Roedd yr hen ddyn yn eistedd yng nghefn y cwch ac roedd Charlie Bucket bach yn eistedd yn union ar ei bwys. Roedd Charlie'n cydio'n dynn yn hen law esgyrnog ei dad-cu. Roedd e'n gyffro i gyd. Roedd popeth roedd e wedi'i weld hyd yn hyn – yr afon siocled enfawr, y rhaeadr, y pibau sugno enfawr, y dolydd siwgr mintys, yr Wmpalwmpas, y cwch pinc prydferth ac, yn fwy na'r cyfan, Mr Wili Wonka ei hunan – wedi bod mor rhyfeddol fel ei fod yn dechrau meddwl tybed

a allai fod mwy ar ôl i'w synnu. Ble roedden nhw'n mynd nawr? Beth roedden nhw'n mynd i'w weld? A beth yn y byd oedd yn mynd i ddigwydd yn yr ystafell nesaf?

'On'd yw e'n rhyfeddol?' meddai Tad-cu Joe, gan wenu ar Charlie.

Nodiodd Charlie a gwenu ar yr hen ddyn.

Yn sydyn, dyma Mr Wonka, a oedd yn eistedd yr ochr draw i Charlie, yn estyn i waelod y cwch, yn codi cwpan mawr, ei roi e yn yr afon, ei lenwi â siocled a'i roi e i Charlie. 'Yfa hwn,' meddai. 'Fe wnaiff e les i ti! Mae golwg wedi llwgu i farwolaeth arnat ti!'

Yna llenwodd Mr Wonka ail gwpan a'i roi e i Tad-cu Joe. 'A chi, hefyd,' meddai. 'Rydych chi'n edrych fel sgerbwd! Beth sy'n bod? Does dim llawer o fwyd wedi bod yn eich tŷ chi'n ddiweddar?'

'Dim llawer,' meddai Tad-cu Joe.

Rhoddodd Charlie'r cwpan wrth ei wefusau, ac wrth i'r siocled hufennog cynnes a chyfoethog redeg i lawr ei wddf i'w fola gwag, dechreuodd ei holl gorff o'i gorun i'w sawdl deimlo'n bleserus, ac ymledodd teimlad o hapusrwydd mawr drosto.

'Ydych chi'n ei hoffi fe?' gofynnodd Mr Wonka.

'O, mae e'n wych!' meddai Charlie.

'Y siocled mwyaf hufennog a hyfryd rydw i erioed wedi'i brofi!' meddai Tad-cu Joe, gan glecian ei wefusau.

'Achos mai rhaeadr sydd wedi'i gymysgu fe,' meddai Mr Wonka wrtho.

Aeth y cwch yn ei flaen ar wib i lawr yr afon. Roedd yr afon yn mynd yn gulach. Roedd rhyw fath o dwnnel tywyll o'u blaenau – twnnel enfawr crwn a edrychai fel piben enfawr – a llifai'r afon yn syth i mewn i'r twnnel. A'r cwch hefyd! 'Daliwch i rwyfo!' gwaeddodd Mr Wonka, gan neidio i fyny a chwifio ei ffon yn yr awyr. 'Ymlaen fel y gwynt!' Gyda'r Wmpalwmpas yn rhwyfo'n gynt nag erioed, saethodd y cwch i'r twnnel pygddu, a sgrechiodd y teithwyr i gyd yn llawn cyffro.

'Sut gallan nhw weld ble maen nhw'n mynd?' sgrechiodd Violet Beauregarde yn y tywyllwch.

'Does dim modd dyfalu ble maen nhw'n mynd!' gwaeddodd Mr Wonka, gan biffian chwerthin.

'*Does dim modd i ni ddyfalu*
At ba le maen nhw'n anelu!
Maen nhw'n rhwyfo heb arafu,
Llif yr afon sy'n cyflymu,
Does dim golau yn llewyrchu,
Felly gallent ein peryglu:
Dal i rwyfo i'n cynhyrfu
Y mae'r rhwyfwyr, heb awgrymu
Bod y daith ar fin diweddu ...'

'Mae e wedi hurtio'n lân!' gwaeddodd un o'r tadau mewn dychryn, a dechreuodd y rhieni eraill ymuno yn y corws gan weiddi mewn arswyd. 'Mae e'n gwbl ynfyd!' gwaeddon nhw.

'Mae e'n hurt!'

'Mae e'n wallgof!'

'Mae e o'i bwyll!'

'Mae e o'i gof!'

'Dyw e ddim yn gall!'

'Mae e'n hanner pan!'

'Dyw e ddim llawn llathen!'

'Mae e'n benwan!'

'Mae e'n lloerig!'

'Mae e wedi drysu!'

'Mae e'n wirion!'

'Mae e wedi gwallgofi!'

'Na, dyw e *ddim*!' meddai Tad-cu Joe.

'Cynheuwch y goleuadau!' gwaeddodd Mr Wonka. Ac yn sydyn, dyma'r goleuadau'n goleuo ac roedd y twnnel yn olau i gyd, a gallai Charlie weld eu bod yn wir y tu mewn i biben anferth, gyda waliau mawr crwn y biben yn troi ar i fyny ac yn wyn fel yr eira. Llifai'r afon siocled yn gyflym iawn y tu mewn i'r biben, rhwyfai'r Wmpalwmpas i gyd fel pethau gwyllt, a rhuthrai'r cwch yn ei flaen fel roced. Neidiai Mr Wonka i fyny ac i lawr yng nghefn y cwch a galw ar y rhwyfwyr i rwyfo'n gynt ac yn gynt. Edrychai fel petai e'n mwynhau'r teimlad o wibio drwy dwnnel gwyn mewn cwch pinc ar afon siocled, a churai ei ddwylo a chwerthin ac edrych o hyd ar ei deithwyr i weld a oedden nhw'n ei fwynhau gymaint ag yr oedd e.

'Edrych, Dad-cu!' gwaeddodd Charlie. 'Mae drws yn y wal!' Drws gwyrdd oedd e ac roedd wedi'i osod yn wal y twnnel ychydig uwchlaw lefel yr afon. Wrth iddyn nhw wibio heibio iddo dim ond digon o amser i ddarllen yr ysgrifen ar y drws oedd yna: STORDY RHIF 54, meddai. POB MATH O HUFEN – HUFEN LLAETH, HUFEN WEDI EI CHWIPIO, HUFEN FIOLED, HUFEN COFFI, HUFEN AFAL PÎN, HUFEN FANILA, A HUFEN GWALLT.

'Hufen gwallt?' gwaeddodd Mike Teavee. 'Dydych chi ddim yn defnyddio *hufen gwallt*?'

'Ymlaen â'r rhwyfo!' gwaeddodd Mr Wonka. 'Does dim amser i ateb cwestiynau dwl!'

Saethon nhw heibio i ddrws du. STORDY RHIF 71 oedd arno. CHWIPIAU – O BOB LLIW A LLUN.

'*Chwipiau!*' gwaeddodd Veruca Salt. 'Pam yn y byd rydych chi'n defnyddio chwipiau?'

'I chwipio hufen, wrth gwrs,' meddai Mr Wonka. 'Sut gallwch chi chwipio hufen heb chwipiau? Dydy hufen wedi'i chwipio ddim yn hufen wedi'i chwipio o gwbl oni bai ei fod wedi'i chwipio â chwipiau. Yn union fel nad yw wy wedi'i botsio yn wy wedi'i botsio oni bai ei fod wedi cael ei ddwyn o'r goedwig ganol y nos! Ymlaen â'r rhwyfo, os gwelwch yn dda!'

Aethon nhw heibio i ddrws melyn ac arno roedd: STORDY RHIF 77 – POB MATH O FFA, FFA COCO, FFA COFFI, FFA JELI, FFA POB A FFA'N TASTIG.

'*Ffa'n tastig?*' gwaeddodd Violet Beauregarde.

'Ie, ond dwyt ti ddim!' meddai Mr Wonka. 'Does dim amser i ddadlau! Ymlaen, ymlaen â ni!' Ond bum eiliad yn ddiweddarach, pan ddaeth drws coch llachar i'r golwg o'u blaenau, chwifiodd ei ffon â phen aur yn yr awyr yn sydyn a gweiddi, 'Stopiwch y cwch!'

19

Yr Ystafell Ddyfeisio – Losin Para Byth a Thaffi Gwallt a Blew

Pan waeddodd Mr Wonka 'Stopiwch y cwch!' dyma'r Wmpalwmpas yn gwthio eu rhwyfau i'r afon a thynnu am yn ôl yn wyllt. Stopiodd y cwch.

Llywiodd yr Wmpalwmpas y cwch gydag ochr y drws coch. Ar y drws roedd y geiriau, YSTAFELL DDYFEISIO – PREIFAT – CADWCH DRAW. Tynnodd Mr Wonka allwedd o'i boced, pwyso dros ymyl y cwch, a rhoi'r allwedd yn nhwll y clo.

'*Hon* yw'r ystafell bwysicaf yn y ffatri i gyd,' meddai. 'Fan hyn mae pob un o 'nyfeisiadau newydd mwyaf cyfrinachol i'n coginio ac yn ffrwtian! Fe fyddai'r hen Fickelgruber yn rhoi'r byd yn grwn i gael dod i mewn fan hyn am dair munud fach! A Prodnose a Slugworth hefyd a'r holl hen wneuthurwyr siocled eraill 'na! Ond gwrandewch arna i nawr! Dwi ddim eisiau gweld unrhyw chwarae o gwmpas pan ewch chi i mewn! Dim cyffwrdd, dim potsian a dim profi! Ydyn ni'n cytuno?'

'Ydyn, ydyn!' gwaeddodd y plant. 'Wnawn ni ddim cyffwrdd â dim!'

'Hyd yn hyn,' meddai Mr Wonka, 'does neb arall, dim un o'r Wmpalwmpas hyd yn oed, erioed wedi cael dod i mewn fan hyn!' Agorodd y drws a chamu o'r cwch i'r ystafell. Rhuthrodd y pedwar plentyn a'u rhieni i gyd ar ei ôl.

'Dim cyffwrdd!' gwaeddodd Mr Wonka. 'A pheidiwch â bwrw unrhyw beth i'r llawr!'

Syllodd Charlie Bucket o gwmpas yr ystafell enfawr lle safai. Roedd y lle fel cegin gwrach! O'i gwmpas ym mhob man roedd sosbenni metel du'n berwi ac yn ffrwtian ar stofiau enfawr, a thegelli'n chwythu a phadellau'n sïo, a pheiriannau haearn rhyfedd yn cloncian ac yn poeri, a phibau'n rhedeg dros y nenfwd a'r waliau i gyd, ac roedd yr holl le'n llawn mwg a stêm ac arogleuon godidog o flasus.

Yn sydyn roedd Mr Wonka ei hun wedi cyffroi mwy nag arfer, a gallai pawb weld mai dyma oedd ei hoff ystafell. Roedd e'n hercian rhwng y sosbenni a'r peiriannau fel plentyn ynghanol ei anrhegion Nadolig, heb wybod ar beth y dylai edrych gyntaf. Cododd glawr crochan enfawr a ffroeni; yna rhuthrodd draw a rhoi'i fys mewn casgenaid o gymysgedd melyn gludiog a'i brofi; yna llamodd draw i un o'r peiriannau a throi hanner dwsin o fotymau'r naill ffordd a'r llall; yna syllodd yn bryderus drwy ddrws gwydr ffwrn enfawr, gan rwbio'i ddwylo a phiffian chwerthin wrth edrych ar ei chynnwys. Yna rhedodd draw at beiriant arall, un bach gloyw oedd yn gwneud sŵn *ffrwt-ffrwt-ffrwt-ffrwt-ffrwt* o hyd, a bob tro y gwnâi sŵn *ffrwt*, byddai marblen fawr werdd yn disgyn allan ohono i fasged ar y llawr. O leia, roedd y peth yn edrych fel marblen.

'Losin Para Byth!' gwaeddodd Mr Wonka'n falch. 'Maen nhw'n newydd sbon! Dwi'n eu dyfeisio nhw

i blant sydd ond yn cael ychydig bach o arian poced. Fe allwch chi roi Losinen Para Byth yn eich ceg a'i sugno a'i sugno a'i sugno a'i sugno a fydd hi *byth* yn mynd yn llai!'

''Run peth â'r gwm!' gwaeddodd Violet Beauregarde.

'Dyn nhw *ddim* yr un peth â gwm,' meddai Mr Wonka. 'Rwyt ti'n cnoi gwm, ond taset ti'n trio cnoi un o'r Losin Para Byth hyn fe fyddai dy ddannedd di'n torri! A dydyn nhw *byth* yn mynd yn llai! Dydyn nhw *byth* yn diflannu! *BYTH!* O leia, dwi ddim yn meddwl eu bod nhw. Mae un ohonyn nhw'n cael ei brofi'r eiliad hon yn yr Ystafell Brofi drws nesa. Mae un o'r Wmpalwmpas yn ei sugno hi. Mae e wedi bod yn ei sugno hi am bron i flwyddyn nawr yn ddi-stop, ac mae hi'n dal yn union fel roedd hi!

'Nawr, draw fan yma,' meddai Mr Wonka eto, gan neidio'n gyffro i gyd ar draws yr ystafell i'r wal gyferbyn, 'draw fan yma dwi'n dyfeisio math o daffi newydd sbon!' Arhosodd ar bwys sosban fawr. Roedd y sosban yn llawn triog gludiog trwchus o liw porffor, yn berwi ac yn ffrwtian. Drwy sefyll ar flaenau'i draed, gallai Charlie weld y tu mewn iddo.

'Taffi Gwallt a Blew yw hwnna!' gwaeddodd Mr Wonka. 'Dim ond i chi fwyta un tamaid bach o hwnna, ac ymhen hanner awr union fe fydd crop o wallt newydd sbon godidog trwchus sidanaidd hyfryd yn dechrau tyfu dros eich pen chi i gyd! A mwstás! A barf!'

'Barf!' gwaeddodd Veruca Salt. 'Pwy sydd eisiau barf, er mwyn popeth?'

'Fe fyddai barf yn edrych yn dda iawn arnat ti,' meddai Mr Wonka, 'ond yn anffodus dyw'r gymysgedd ddim yn hollol iawn eto. Mae'n llawer rhy gryf gyda fi. Mae'n gweithio'n rhy dda. Fe wnes i arbrawf gydag un o'r Wmpalwmpas ddoe yn yr Ystafell Brofi ac yn syth fe ddechreuodd barf ddu enfawr saethu o'i ên, ac fe dyfodd y farf mor gyflym nes ei bod hi'n llusgo dros y llawr i gyd yn garped blewog trwchus mewn chwinciad chwannen. Roedd hi'n tyfu'n gynt nag y gallen ni ei thorri hi! Yn y pen draw roedd rhaid i ni ddefnyddio torrwr lawnt i'w chadw hi o dan reolaeth! Ond fe gaf i'r gymysgedd yn iawn cyn bo hir! A phan lwydda i, yna fydd dim esgus rhagor i fechgyn a merched bach gerdded o gwmpas â'u pennau'n foel!'

'Ond Mr Wonka,' meddai Mike Teavee, 'dyw bechgyn a merched bach byth *yn* cerdded o gwmpas â'u ...'

'Paid â dadlau, blentyn annwyl, *da ti* paid â dadlau!' gwaeddodd Mr Wonka. 'Mae'n gwastraffu cymaint o amser gwerthfawr! Nawr, draw fan *yma*, os dewch chi bob un draw y ffordd yma, fe ddangosa i rywbeth dwi'n hynod falch ohono fe i chi. O, byddwch yn ofalus! Peidiwch â bwrw dim i'r llawr! Sefwch draw!'

20

Y Peiriant Gwm Gwych

Arweiniodd Mr Wonka'r criw i beiriant enfawr a safai reit yng nghanol yr Ystafell Ddyfeisio. Roedd yn fynydd o fetel sgleiniog oedd yn codi'n uchel uwchben y plant a'u rhieni. O ben y peiriant, codai cannoedd ar gannoedd o diwbiau gwydr tenau, a throellai'r tiwbiau gwydr i gyd ar i lawr a dod at ei gilydd yn un pentwr a hongian uwchben twba crwn anferth mor fawr â bàth.

'Dyma ni 'te!' gwaeddodd Mr Wonka, a gwasgodd dri botwm gwahanol ar ochr y peiriant. Eiliad yn ddiweddarach, daeth sŵn rymblan mawr oddi mewn iddo, a dechreuodd y peiriant i gyd siglo'n ddychrynllyd, a dechreuodd stêm hisian allan ohono i gyd, ac yna'n sydyn sylwodd y rhai oedd yn gwylio fod stwff rhedegog yn llifo i lawr y tu mewn i'r holl gannoedd o diwbiau gwydr bychain ac yn tasgu allan i'r twba anferth islaw. Ac roedd y stwff rhedegog ym mhob un o'r tiwbiau o liw gwahanol, fel bod pob un o liwiau'r enfys (a llawer o rai eraill hefyd) yn tasgu a sblashio i'r twba. Roedd hi'n olygfa hyfryd. Yna pan oedd y twba bron yn llawn, gwasgodd Mr Wonka fotwm arall, ac yn syth diflannodd y stwff rhedegog, a daeth sŵn chwyrlïo a chwyrnellu yn ei le; ac yna dyma chwyrlïwr mawr yn dechrau chwyrlïo o gwmpas y tu mewn i'r twba anferth, gan gymysgu'r holl hylifau amryliw fel soda hufen iâ. Yn raddol, dechreuodd y gymysgedd ewynnu. Daeth mwy a mwy o ewyn, ac fe drodd o fod yn las, yn wyn, yn wyrdd, yn frown, yn felyn, ac yna'n ôl yn las unwaith eto.

'Gwyliwch!' meddai Mr Wonka.

Clic meddai'r peiriant, a dyma'r chwyrlïwr yn stopio chwyrlïo. A nawr daeth rhyw fath o sŵn sugno, ac yn sydyn iawn dyma'r gymysgedd ewynnog las yn y twba anferth yn cael ei sugno'n ôl i grombil y peiriant. Bu tawelwch am eiliad. Yna roedd ychydig o sŵn rymblan i'w glywed. Yna tawelwch eto. Yna'n sydyn, dyma'r peiriant yn rhoi ochenaid anferth ac anhygoel, ac ar yr un pryd agorodd drôr bychan (dim mwy na'r drôr mewn peiriant ceiniogau), ac yn y drôr gorweddai rhywbeth oedd mor fach a thenau a llwyd fel y meddyliai pawb mai camsyniad oedd e. Edrychai'r peth fel darn o gardfwrdd llwyd.

Rhythodd y plant a'u rhieni ar y stribed bach llwyd yn gorwedd yn y drôr.

'Felly dyna i *gyd* yw e?' meddai Mike Teavee, wedi ei siomi.

'Dyna i gyd,' atebodd Mr Wonka, gan syllu'n falch ar y canlyniad. 'Dych chi ddim yn gwybod beth yw e?'

Bu tawelwch. Yna'n sydyn, dyma Violet Beauregarde, y ferch ddwl oedd yn cnoi gwm, yn gweiddi'n gyffrous. 'Wrth gwrs, *gwm* yw e!' sgrechiodd. 'Darn o gwm cnoi yw e!'

'Rwyt ti'n iawn!' gwaeddodd Mr Wonka, gan

guro Violet yn galed ar ei chefn. 'Darn o gwm yw e! Darn o'r gwm mwyaf *anhygoel* a *gwych* a *rhyfeddol* yn y byd!'

21

Hwyl fawr, Violet

'Y gwm hwn,' meddai Mr Wonka wedyn, 'yw fy nyfais ddiweddaraf, yr un orau a'r fwyaf anhygoel! Pryd o fwyd gwm cnoi yw e! Mae … mae … mae … Mae'r darn bach yna o gwm sy'n gorwedd fan yna'n bryd o fwyd tri chwrs cyfan ar ei ben ei hun!'

'Beth yw'r dwli yma?' meddai un o'r tadau.

'Syr annwyl!' meddai Mr Wonka, 'pan fydda i'n dechrau gwerthu'r gwm yma yn y siopau bydd *popeth* yn newid! Dyna fydd diwedd ceginau a choginio! Fydd dim angen gwneud mwy o siopa! Dim mwy o brynu cig a bwydydd eraill! Fydd dim cyllyll a ffyrc adeg bwyd! Dim platiau! Dim golchi llestri! Dim sbwriel! Dim llanast! Dim ond stribed bach o gwm cnoi hud Mr Wonka – a dyna i gyd fydd ei angen arnoch chi amser brecwast, cinio a swper! Mae'r darn hwn o gwm cnoi dwi newydd ei wneud yn digwydd bod yn un cawl tomato, cig eidion a tharten llusi duon bach, ond gallwch chi gael bron beth bynnag fynnwch chi!'

'Beth dych chi'n *feddwl*, gwm cawl tomato, cig eidion a tharten llusi duon bach?' meddai Violet Beauregarde.

'Taset ti'n dechrau ei gnoi e,' meddai Mr Wonka,

'dyna'n union fyddet ti'n ei gael ar y fwydlen. Mae'n gwbl anhygoel! Fe alli di *deimlo*'r bwyd yn mynd i lawr dy wddf ac i mewn i dy fola di! Ac fe alli di ei flasu fe'n berffaith! Ac mae e'n dy lenwi di! Mae e'n dy ddigoni di! Mae e'n wych!'

'Mae hynny'n gwbl amhosibl,' meddai Veruca Salt.

'Os mai gwm yw e,' gwaeddodd Violet Beauregarde, 'os mai darn o gwm yw e ac y galla i ei gnoi e, yna dyna'r *union* beth i fi!' Ac yn gyflym tynnodd y darn o gwm cnoi oedd wedi torri record y byd o'i cheg a'i roi y tu ôl i'w chlust chwith. 'Dewch, Mr Wonka,' meddai, 'rhowch y gwm hud yma i fi ac fe gawn ni weld a yw e'n gweithio.'

'Nawr, Violet,' meddai Mrs Beauregarde, ei mam; 'paid â gwneud dim byd dwl nawr.'

'Dwi eisiau'r gwm!' meddai Violet yn benstiff. 'Beth sydd mor ddwl am hynny?'

'Fe fyddai hi'n well gyda fi taset ti ddim yn ei gael e,' meddai Mr Wonka wrthi'n dyner. 'Ti'n gweld, dwi ddim wedi ei *berffeithio* fe eto. Mae un neu ddau o bethau o hyd …'

'O, does dim ots am hynny!' meddai Violet, ac yn sydyn, cyn i Mr Wonka allu ei stopio hi, dyma hi'n estyn ei llaw dew a chipio'r darn o gwm o'r drôr bychan a'i roi yn ei cheg. Ar unwaith, dyma ei gên enfawr oedd wedi hen arfer â chnoi yn dechrau ei gnoi fel buwch yn cnoi ei chil.

'Paid!' meddai Mr Wonka.

'Anhygoel!' gwaeddodd Violet. 'Cawl tomato yw e! Mae e'n boeth ac yn hufennog a blasus! Fe alla i ei deimlo fe'n rhedeg i lawr fy ngwddf!'

'Paid!' meddai Mr Wonka. 'Dyw'r gwm ddim yn barod eto! Dyw e ddim yn iawn!'

'Wrth gwrs ei fod e'n iawn!' meddai Violet. 'Mae e'n gweithio'n hyfryd! O, dyna gawl blasus yw hwn!'

'Poera fe mas!' meddai Mr Wonka.

'Mae e'n newid!' gwaeddodd Violet, gan gnoi a gwenu ar yr un pryd. 'Mae'r ail gwrs yn dechrau! Cig eidion yw e! Mae e'n dyner a blasus! O'r annwyl, dyna flas hyfryd! Mae'r daten bob yn wych hefyd! Mae'r croen yn frau a'r tu mewn yn llawn menyn!'

'O, dyna ddidd*or*ol, Violet,' meddai Mrs Beauregarde. 'Rwyt ti *yn* ferch glyfar.'

'Cadw i fynd, cariad!' meddai Mr Beauregarde. 'Paid â rhoi'r gorau i gnoi! Mae hwn yn ddiwrnod gwych i deulu'r Beauregarde! Ein merch fach ni yw'r person cyntaf yn y byd i gael pryd o fwyd gwm cnoi!'

Roedd pawb yn gwylio Violet Beauregarde wrth iddi sefyll fan honno'n cnoi'r gwm rhyfeddol hwn. Rhythai Charlie Bucket bach arni wedi ei swyno'n llwyr, gan wylio'i gwefusau enfawr fel rwber yn gwasgu a gollwng wrth gnoi, a safai Tad-cu Joe wrth ei ochr, yn syllu'n gegrwth ar y ferch. Gwasgai Mr Wonka ei ddwylo a dweud, 'Na, na, na, na, na! Dyw e ddim yn barod i'w fwyta! Dyw e ddim yn iawn! Ddylet ti ddim!'

'Tarten llusi duon bach a hufen!' gwaeddodd Violet. 'Dyma hi'n dod! Wel, wir, mae hi'n berffaith! Mae hi'n hyfryd! Mae'n ... mae'n union fel taswn i'n ei llyncu hi! Mae'n union fel taswn i'n cnoi ac yn llyncu llwyeidiau enfawr o'r darten llusi duon bach fwyaf blasus yn y byd!'

'Nefoedd wen, ferch!' sgrechiodd Mrs Beauregarde yn sydyn, gan rythu ar Violet, 'beth sy'n digwydd i dy drwyn di?'

'O, bydd ddistaw, Mam, a gad i fi orffen!' meddai Violet.

'Mae e'n troi'n borffor!' sgrechiodd Mrs Beauregarde. 'Mae dy drwyn di'n troi mor borffor â'r llusi duon bach!'

'Mae dy fam yn iawn!' gwaeddodd Mr Beauregarde. 'Mae dy drwyn di i gyd wedi troi'n borffor!'

'Beth ydych chi'n *feddwl*?' meddai Violet, gan ddal ati i gnoi.

'Dy fochau di!' sgrechiodd Mrs Beauregarde. 'Maen nhw'n troi'n las hefyd!' A dy ên di! Mae dy wyneb di i gyd yn troi'n las!'

'Poera'r gwm 'na mas ar unwaith!' gorchmynnodd Mr Beauregarde.

'Arswyd y byd! Achubwch ni!' bloeddiodd Mrs Beauregarde. 'Mae'r ferch yn troi'n las a phorffor drosti i gyd! Mae hyd yn oed ei gwallt yn troi ei liw! Violet, rwyt ti'n troi'n borffor, Violet! Beth *sy*'n digwydd i ti?'

'Fe *ddwedais* i wrthoch chi nad yw e'n iawn eto,' ochneidiodd Mr Wonka, gan ysgwyd ei ben yn drist.

'Dwi'n cytuno â chi!' gwaeddodd Mrs Beauregarde. 'Edrychwch ar y ferch nawr!'

Syllai pawb ar Violet. A dyna olwg ofnadwy a rhyfedd oedd arni! Roedd ei hwyneb a'i dwylo a'i choesau a'i gwddf, yn wir, y croen dros ei chorff i gyd, a'i mwng mawr o wallt cyrliog hefyd, wedi troi'n las porffor llachar, lliw llusi duon bach!

'Mae rhywbeth wastad yn mynd o chwith gyda'r pwdin,' ochneidiodd Mr Wonka. 'Y darten llusi duon bach sydd ar fai. Ond fe lwydda i i'w gael e'n iawn ryw ddiwrnod, fe gewch chi weld.'

'Violet,' sgrechiodd Mrs Beauregarde, 'rwyt ti'n chwyddo!'

'Dwi'n teimlo'n dost,' meddai Violet.

'Rwyt ti'n chwyddo!' sgrechiodd Mrs Beauregarde eto.

'Dwi'n teimlo'n rhyfedd iawn!' meddai Violet gan anadlu'n drwm.

'Dwi ddim yn synnu!' meddai Mr Beauregarde.

'Nefoedd wen, ferch!' sgrechiodd Mrs Beauregarde. 'Rwyt ti'n chwythu i fyny fel balŵn!'

'Fel llusi duon bach,' meddai Mr Wonka.

'Ffoniwch am ddoctor!' gwaeddodd Mr Beauregarde.

'Pigwch hi â phìn!' meddai un o'r tadau eraill.

'Achubwch hi!' gwaeddodd Mrs Beauregarde, gan wasgu ei dwylo.

Ond doedd dim modd ei hachub hi bellach. Roedd ei chorff yn chwyddo ac yn newid ei siâp mor gyflym fel ei fod o fewn munud wedi troi'n ddim llai na phêl grwn anferth – llusen enfawr, mewn gwirionedd – a'r cyfan oedd ar ôl o Violet Beauregarde ei hun oedd pâr pitw bach o goesau a phâr pitw bach o freichiau'n sticio allan o'r ffrwyth crwn mawr a phen bach ar ei ben.

'Dyna sydd *wastad* yn digwydd,' ochneidiodd Mr Wonka. 'Dwi wedi gwneud ugain arbrawf yn yr Ystafell Arbrofi ar ugain o'r Wmpalwmpas, ac mae pob un ohonyn nhw'n edrych fel llusen ar y diwedd. Mae'n fy ngwneud i'n grac. Alla i ddim deall y peth o gwbl.'

'Ond dwi ddim eisiau llusen yn ferch!' gwaedd-odd Mrs Beauregarde. 'Trowch hi'n ôl i'r hyn roedd hi yr eiliad hon!'

Dyma Mr Wonka'n rhoi clec â'i fysedd, ac ym-ddangosodd deg Wmpalwmpa'n syth wrth ei ochr.

'Rholiwch Miss Beauregarde i'r cwch,' meddai wrthyn nhw, 'ac ewch â hi i'r Ystafell Sudd ar un-waith.'

'Yr *Ystafell Sudd*?' gwaeddodd Mrs Beauregarde. 'Beth maen nhw'n mynd i'w wneud iddi hi yn fan'na?'

'Ei gwasgu hi,' meddai Mr Wonka. 'Mae'n rhaid i ni wasgu'r sudd mas ohoni'n syth. Ar ôl hynny, fe fydd rhaid i ni weld sut bydd hi wedyn. Ond peidiwch â phoeni, Mrs Beauregarde annwyl. Fe wnewn ni'n siŵr ein bod ni'n ei chywiro hi. Mae'n ddrwg gen i am hyn, wir i chi ...'

Roedd y deg Wmpalwmpa eisoes yn rholio'r llusen

enfawr dros lawr yr Ystafell Ddyfeisio i'r drws a arweiniai at yr afon siocled lle roedd y cwch yn aros. Prysurodd Mr a Mrs Beauregarde ar eu hôl nhw. Safodd gweddill y criw, gan gynnwys Charlie Bucket bach a Tad-cu Joe, yn stond ac edrych arnyn nhw'n mynd.

'Gwrandawa!' sibrydodd Charlie. 'Gwrandawa, Dad-cu! Mae'r Wmpalwmpas yn y cwch y tu allan yn dechrau canu!'

Daeth sŵn y lleisiau, cant ohonyn nhw'n canu gyda'i gilydd, yn uchel a chroyw i'r ystafell:

'Ffrindiau annwyl, rhaid cytuno
Nad oes dim byd gwaeth i'w wylio
Na rhyw blantach dwl sydd eisio
Cnoi a chnoi o hyd heb stopio.

(Ac mae'r cnafon bron iawn cynddrwg
Â'r rhai sy'n pigo'u trwyn yn amlwg.)
Gwrandewch felly ar ein cri:
Peidiwch â chnoi gwm, da chi;
Mae'r arfer cas yn siŵr o gydio
Nes bydd y cnöwr bach yn hurtio.
A glywsoch chi erioed am ferch
O'r enw Miss Angharad Prydderch?
Bob dydd fe fyddai hi'n ymroi
I wneud dim byd ond cnoi a chnoi.
Byddai'n cnoi wrth 'molchi'r bore,
Cnoi wrth ddawnsio gyda'i ffrindie.
Cnoi yn y capel, yn y gwaith;
Roedd pawb yn synnu, wir, mae'n ffaith!
Os nad oedd ganddi gwm i'w gnoi,
At bethau eraill roedd rhaid troi,
Darn o garped, pâr o 'sgidie,
Neu ddillad isaf rhai o'i ffrindie,
Clust y postmon, peidiwch sôn,
A thrwyn ei chariad o Sir Fôn.
Bu'n cnoi a chnoi nes yn y diwedd
Roedd ei chyhyrau cnoi a'i dannedd
Yn fawr a chryf fel rhai rhyw fwystfil
A'i gên yn hir a main fel ffidil.
Bu'n cnoi'n ddiddiwedd am flynyddoedd
Gan daflu'r gwm ar hyd y strydoedd.
Un nos o haf digwyddodd rhywbeth
A fyddai'n siŵr o newid popeth.
Miss Prydderch aeth yn hwyr i'w gwely
Pan oedd hi'n aros mewn rhyw westy,
Bu'n darllen llyfr am hanner awr
Gan gnoi fel crocodeil neu gawr.

Rhoddodd y darn o gwm mewn drôr
Lle cadwai lwyth ohono'n stôr
A gorwedd er mwyn dechrau cysgu,
Ac mewn chwinciad, roedd hi'n chwyrnu.
Ond er ei bod hi yn gorffwyso,
Doedd ei genau ddim am stopio,
Gan gnoi er nad oedd dim byd yno,
Drwy'r noson hir tra oedd hi'n huno.
Ni allent beidio â chnoi'n ddiddiwedd,
Rhaid *oedd symud, mewn gwirionedd.*
Roedd y sŵn yn seinio'n glir
Drwy'r gwesty bach drwy'r noson hir,
Sŵn ei cheg yn clepian, clepian
Yn cnoi a chnoi yn fân a buan,
Yn gynt a chynt heb aros ennyd,
Cnoi a chnoi yn hynod swnllyd.
Ond yn y diwedd agor wnaeth –
Led y pen, a beth sy'n waeth
Gydag andros o gyflymder
Fe gnodd ei thafod yn ddau hanner.
Felly, ar ôl cnoi bob munud
Roedd Miss Prydderch nawr yn fud,
A bu hi fyw yn drist heb siarad
Mewn cartref oer a digymeriad.
A dyma pam y gwnawn ni'n gorau
I achub Fioled Mireinwedd hithau,
Rhag iddi ddioddef ffawd ei hunan
Fel y gwnaeth Miss Prydderch druan.
Dylai wella bron yn llwyr
O'i hafiechyd – ond pwy a ŵyr?'

22

Ar hyd y Coridor

'Wel, wel, wel,' ochneidiodd Mr Wili Wonka, 'dau blentyn bach drwg wedi mynd. Tri phlentyn bach da ar ôl. Dwi'n meddwl bod gwell i ni fynd o'r ystafell hon yn glou cyn i ni golli unrhyw un arall!'

'Ond Mr Wonka,' meddai Charlie Bucket yn bryderus, 'fydd Violet Beauregarde *fyth* yn iawn eto neu fydd hi'n llusen am byth?'

'Fe gân nhw'r sudd mas ohoni mewn dim o dro!' meddai Mr Wonka. 'Fe rolian nhw hi i mewn i'r peiriant tynnu sudd ac fe ddaw hi allan yn denau fel llyngyryn!'

'Ond fydd hi'n dal yn las drosti i gyd?' gofynnodd Charlie.

'Bydd hi'n *borffor*!' gwaeddodd Mr Wonka. 'Porffor hyfryd cyfoethog o'i phen i'w sawdl! Ond dyna ni! Dyna beth sydd yn digwydd os ydych chi'n cnoi hen gwm drwy'r dydd gwyn!'

'Os ydych chi'n meddwl bod gwm cnoi'n beth mor ofnadwy,' meddai Mike Teavee, 'yna pam rydych chi'n ei wneud e yn eich ffatri chi?'

'Basai hi'n dda gyda fi taset ti ddim yn mwmian,' meddai Mr Wonka. 'Alla i ddim deall gair rwyt ti'n ddweud. Dewch nawr! Bant â ni! Dilynwch fi!

Rydyn ni'n mynd i'r coridorau eto!' Ac ar hynny, rhuthrodd Mr Wonka draw i ben pellaf yr Ystafell Ddyfeisio a mynd allan drwy ddrws bychan cyfrinachol y tu ôl i lawer o bibau a stofiau. Dilynodd y tri phlentyn oedd ar ôl – Veruca Salt, Mike Teavee a Charlie Bucket – a'r pum oedolyn oedd ar ôl yn dynn wrth ei sodlau.

Sylwodd Charlie Bucket eu bod nhw'n ôl nawr yn un o'r coridorau pinc hir yna oedd â llawer o goridorau pinc eraill yn arwain ohono. Roedd Mr Wonka'n rhuthro yn ei flaen, gan droi i'r chwith a'r dde ac i'r dde ac i'r chwith, ac roedd Tad-cu Joe yn dweud, 'Dal yn dynn yn fy llaw i, Charlie. Fe fyddai mynd ar goll fan hyn yn ddychrynllyd.'

Wrth ruthro yn ei flaen roedd Mr Wonka'n dweud, 'Does dim amser am fwy o botsian! Wnawn

ni ddim cyrraedd *unman* fel hyn!' A dyma fe'n rhuthro yn ei flaen, i lawr y coridorau pinc diddiwedd, gyda'i het silc ddu ar ei ben a'i gôt gynffon fain felfed o liw eirin yn hedfan y tu ôl iddo fel baner yn cyhwfan yn y gwynt.

Aethon nhw heibio i ddrws yn y wal. 'Does dim amser i fynd i mewn!' gwaeddodd Mr Wonka. 'Ymlaen â ni! Ymlaen â ni!'

Aethon nhw heibio i ddrws arall, yna un arall ac un arall. Roedd drysau bob rhyw ugain cam ar hyd y coridor nawr, ac roedd rhywbeth wedi'i ysgrifennu ar bob un ohonyn nhw, ac roedd synau cloncian rhyfedd yn dod o'r tu ôl i nifer ohonyn nhw, ac aroglau hyfryd yn llifo drwy dyllau'r clo, ac weithiau roedd ffrydiau bychain o stêm amryliw yn saethu allan o'r agennau oddi tanyn nhw.

Roedd Tad-cu Joe a Charlie'n hanner rhedeg a hanner cerdded er mwyn cadw i fyny â Mr Wonka, ond gallen nhw ddarllen beth oedd ar nifer fawr o'r drysau wrth iddyn nhw ruthro heibio. CLUSTOGAU MALWS MELYS BWYTADWY oedd ar un ohonyn nhw.

'Mae clustogau malws melys yn anhygoel!' gwaeddodd Mr Wonka wrth iddo wibio heibio. 'Bydd pawb eisiau un pan gyrhaeddan nhw'r siopau! Ond does dim amser i fynd i mewn! Dim amser i fynd i mewn!'

PAPUR WAL LLYFADWY AR GYFER MEITHRINFEYDD oedd ar y drws nesaf.

'Stwff hyfryd yw papur wal llyfadwy!' gwaeddodd Mr Wonka, gan ruthro heibio. 'Mae lluniau ffrwythau arno fe – bananas, afalau, orenau, grawnwin, afalau pîn, mefus, a *snozzberries* ...'

'*Snozzberries?*' meddai Mike Teavee.

'Paid â thorri ar fy nhraws!' meddai Mr Wonka. 'Mae gan y papur wal luniau o'r holl ffrwythau hyn wedi'u hargraffu arno fe, a phan fyddwch chi'n llyfu llun y banana, bydd e'n blasu fel banana. Pan fyddwch chi'n llyfu un o'r mefus, bydd e'n blasu fel mefus. A phan fyddwch chi'n llyfu *snozzberry*, bydd e'n blasu'n union fel *snozzberry* ...'

'Ond sut *mae snozzberry*'n blasu?'

'Rwyt ti'n mwmian eto,' meddai Mr Wonka. 'Siarada'n uwch y tro nesaf. Ymlaen â ni! Brysiwch!'

HUFEN IÂ TWYM AR GYFER DIWRNODAU OER oedd ar y drws nesaf.

'*Hynod* ddefnyddiol yn ystod y gaeaf,' meddai Mr Wonka, gan ruthro yn ei flaen. 'Mae hufen iâ poeth yn eich twymo chi'n dda pan fydd hi'n rhewi. Dwi hefyd yn gwneud ciwbiau iâ poeth i'w rhoi mewn diodydd poeth. Mae ciwbiau iâ poeth yn gwneud diodydd poeth yn boethach.'

GWARTHEG SY'N RHOI LLAETH SIOCLED oedd ar y drws nesaf.

'O, fy ngwartheg bach hyfryd i!' gwaeddodd Mr Wonka. 'Dwi'n caru'r gwartheg yna!'

'Ond pam na allwn ni fynd i'w *gweld* nhw?' gofynnodd Veruca Salt. 'Pam mae'n rhaid i ni ruthro heibio i'r holl ystafelloedd hyfryd yma?'

'Fe arhoswn ni maes o law!' gwaeddodd Mr Wonka. 'Paid â bod mor hynod ddiamynedd!'

DIODYDD CODI BYRLYMOG oedd ar y drws nesaf.

'O, mae'r rhain yn wych!' gwaeddodd Mr Wonka. 'Maen nhw'n eich llenwi â swigod, ac mae'r swigod yn llawn math arbennig o nwy, ac mae'r nwy yma mor *ysgafn* fel y cewch chi eich codi oddi ar y ddaear yn union fel balŵn, a lan â chi tan i'ch pen chi daro'r nenfwd – a dyna lle'r arhoswch chi.'

'Ond sut gallwch chi ddod i lawr eto?' gofynnodd Charlie bach.

'Drwy dorri gwynt, wrth gwrs,' meddai Mr Wonka. 'Rhaid i chi dorri gwynt yn hir a swnllyd, a *lan* â'r gwynt a lawr â chi! Ond peidiwch â'i yfed e yn yr awyr agored! Anodd gwybod pa mor uchel ewch chi tasech chi'n gwneud hynny. Fe rois i ychydig i hen Wmpalwmpa unwaith mas yn yr iard gefn, a lan â fe a diflannu o'r golwg! Roedd hynny'n drist iawn. Welais i byth mohono fe wedyn.'

'Dylai fe fod wedi torri gwynt,' meddai Charlie.

'Wrth gwrs y dylai fe fod wedi torri gwynt,' meddai Mr Wonka. 'Dyna lle ro'n i'n sefyll ac yn gweiddi "Torra wynt, y twpsyn, torra wynt, neu ddoi di byth i lawr eto!" Ond wnaeth e ddim neu allai fe ddim neu wnâi e ddim, dwi ddim yn gwybod pa un. Efallai mai rhy gwrtais oedd e. Mae'n rhaid ei fod e ar y lleuad erbyn hyn.'

Ar y drws nesaf roedd arwydd, LOSIN SGWÂR SY'N TROI'N GRWN.

'Arhoswch!' gwaeddodd Mr Wonka, gan sgidio'n sydyn i stop. 'Dwi'n ymfalchïo'n fawr yn fy losin sgwâr sy'n troi rownd. Gadewch i ni gael golwg arnyn nhw.'

23

Losin Sgwâr sy'n Troi Rownd

Arhosodd pawb a thyrru i'r drws. Roedd rhan uchaf y drws wedi'i wneud o wydr. Cododd Tad-cu Joe i fyny fel y gallai gael weld yn well, ac wrth edrych i mewn, gwelai Charlie ford hir, ac ar y ford roedd rhesi a rhesi o losin bach gwyn sgwâr. Edrychai'r losin yn debyg iawn i siwgr lwmp sgwâr – ond bod wyneb pinc bach doniol wedi ei beintio ar ochr pob un. Ar ben draw'r ford, roedd nifer o Wmpalwmpas yn brysur yn peintio wynebau ar fwy o losin.

'Dyna chi!' gwaeddodd Mr Wonka. 'Losin sgwâr sy'n troi rownd.'

'Dydyn nhw ddim yn edrych fel tasen nhw'n troi rownd i mi,' meddai Mike Teavee.

'Maen nhw'n edrych yn sgwâr,' meddai Veruca Salt. 'Maen nhw'n edrych yn gwbl sgwâr.'

'Ond maen nhw *yn* sgwâr,' meddai Mr Wonka. 'Ddwedais i ddim nad oedden nhw.'

'Fe ddwedoch chi eu bod nhw'n *troi'n rownd*!' meddai Veruca Salt.

'Ddwedais i ddim byd o'r fath,' meddai Mr Wonka. 'Dweud eu bod nhw'n *troi rownd* wnes i.'

'Ond dydyn nhw *ddim* yn troi rownd!' meddai Veruca Salt. 'Maen nhw'n sgwâr!'

‘Maen nhw’n troi rownd,’ mynnodd Mr Wonka.

‘Dydyn nhw’n bendant ddim yn troi rownd!’ gwaeddodd Veruca Salt.

‘Veruca, cariad,’ meddai Mrs Salt, ‘paid â chymryd sylw o Mr Wonka! Mae e’n dweud celwydd wrthot ti!’

‘Yr hen ’sguthan annwyl,’ meddai Mr Wonka, ‘cer i ferwi dy ben!’

‘Rhag eich cywilydd chi’n siarad â fi fel yna!’ gwaeddodd Mrs Salt.

‘O, byddwch ddistaw,’ meddai Mr Wonka. ‘Nawr gwyliwch hyn!’

Tynnodd allwedd o’i boced a datgloi’r drws a’i agor led y pen … ac yn sydyn … wrth glywed sŵn y drws yn agor, dyma’r rhesi o losin bach sgwâr yn troi’n gyflym i weld pwy oedd yn dod i mewn. A

dyma'u hwynebau bach yn troi rownd i wynebu'r drws a syllu ar Mr Wonka.

'Dyna chi!' gwaeddodd yn fuddugoliaethus. 'Maen nhw'n troi! Does dim dwywaith amdani! Maen nhw'n losin sgwâr sy'n troi rownd!'

'Wel wir, mae e'n iawn!' meddai Tad-cu Joe.

'Dewch!' meddai Mr Wonka, gan ddechrau ei ffordd i lawr y coridor eto. 'Ymlaen â ni! Rhaid i ni beidio â llusgo ein traed!'

BUTTERSCOTCH A BUTTERGIN oedd ar y drws nesaf yr aethon nhw heibio iddo.

'Nawr mae *hynna*'n swnio ychydig yn fwy diddorol,' meddai Mr Salt, tad Veruca.

'Stwff hyfryd!' meddai Mr Wonka. 'Mae'r Wmpa-lwmpas i gyd yn dwlu arno fe. Mae'n eu gwneud nhw'n feddw. Gwrandewch! Gallwch chi eu clywed nhw mewn fan'na nawr, yn ei yfed e i gyd.'

Roedd sgrechian chwerthin ac ychydig o ganu i'w glywed yn dod drwy'r drws caeedig.

'Maen nhw'n feddw gaib,' meddai Mr Wonka. 'Maen nhw'n yfed *butterscotch* a soda. Dyna maen nhw'n ei hoffi orau. Mae *buttergin* a tonic yn boblogaidd hefyd. Dilynwch fi, os gwelwch yn dda! Ddylen ni ddim aros fel hyn o hyd.' Trodd i'r chwith. Trodd i'r dde. Yna daethon nhw at risiau hir. Llithrodd Mr Wonka i lawr y canllaw. Gwnaeth y plant yr un fath. Roedd Mrs Salt a Mrs Teavee, yr unig fenywod oedd ar ôl yn y criw, yn dechrau colli eu gwynt. Roedd Mrs Salt yn anferth o dew gyda choesau byr, ac roedd hi'n chwythu fel rhinoseros. 'Y ffordd yma!' gwaeddodd Mr Wonka, gan droi i'r chwith ar waelod y grisiau.

'*Arafwch!*' gwaeddodd Mrs Salt a'i gwynt yn ei dwrn.

'Amhosibl,' meddai Mr Wonka. 'Chyrhaedden ni byth mewn pryd taswn i'n arafu.'

'Cyrraedd ble?' gofynnodd Veruca Salt.

'Paid â phoeni,' meddai Mr Wonka. 'Aros i gael gweld.'

24

Veruca yn yr Ystafell Gnau

Rhuthrodd Mr Wonka i lawr y coridor. YR YSTAFELL GNAU oedd ar y drws nesaf y daethon nhw ato fe.

'Iawn,' meddai Mr Wonka, 'arhoswch yma am eiliad i gael eich gwynt atoch, ac edrychwch drwy banel gwydr y drws yma. Ond peidiwch â mynd i mewn! Da chi, peidiwch â mynd i mewn i'r YSTAFELL GNAU. Os ewch chi i mewn, fe darfwch chi ar y gwiwerod!'

Tyrrodd pawb o gwmpas y drws.

'O edrych, Dad-cu, edrych!' gwaeddodd Charlie.

'Gwiwerod!' gwaeddodd Veruca Salt.

'Waw!' meddai Mike Teavee.

Roedd hi'n olygfa anhygoel. Roedd cant o wiwerod yn eistedd ar stolion uchel o gwmpas ford fawr. Ar y ford, roedd pentyrrau ar bentyrrau o gnau Ffrengig, ac roedd y gwiwerod yn gweithio fel lladd nadroedd, yn tynnu'r masgl oddi ar y cnau Ffrengig yn hynod o gyflym.

'Mae'r gwiwerod hyn wedi eu hyfforddi'n arbennig i dynnu'r cnau o'r masglau,' eglurodd Mr Wonka.

'Ond pam rydych chi'n defnyddio gwiwerod?' gofynnodd Mike Teavee. 'Pam na ddefnyddiwch chi'r Wmpalwmpas?'

'Achos,' meddai Mr Wonka, 'all yr Wmpalwmpas ddim cael y cnau o'r masgl yn un darn. Maen nhw wastad yn eu torri nhw'n ddau. All neb ond y gwiwerod gael y gneuen *yn gyfan* o'r masglau bob tro. Mae e'n waith hynod o anodd. Ond yn fy ffatri i, dwi'n mynnu mai dim ond cnau Ffrengig cyfan sy'n cael eu defnyddio. Felly rhaid i mi gael gwiwerod i wneud y gwaith. On'd ydyn nhw'n wych, fel maen nhw'n llwyddo i gael y cnau yna o'r masglau! A sylwch fel byddan nhw yn gynta'n pwnio pob cneuen Ffrengig yn ysgafn â'u migyrnau i wneud yn siŵr ei bod hi'n iawn! Os ydyn nhw'n wag, maen nhw'n gwneud sŵn cau, a fyddan nhw ddim yn trafferthu eu hagor nhw. Dim ond eu taflu nhw i'r twll sbwriel y byddan nhw wedyn. Dyna ni! Edrychwch! Gwyliwch y wiwer hon sydd nesaf aton ni! Dwi'n credu bod un wag gyda hi nawr!'

Dyma nhw'n gwylio'r wiwer fach wrth iddi roi pwniad ysgafn i fasgl y gneuen â'i migyrnau. Yna

trodd ei phen i un ochr, gan wrando'n astud, yna'n sydyn taflodd y gneuen dros ei hysgwydd i dwll mawr yn y llawr.

'Hei, Mam!' gwaeddodd Veruca Salt yn sydyn, 'dwi wedi penderfynu 'mod i eisiau wiwer! Cer i nôl un o'r wiwerod yna i fi!'

'Paid â bod yn ddwl, cariad,' meddai Mrs Salt. 'Mr Wonka biau'r rhain i gyd.'

'Does dim ots gyda fi am hynny!' gwaeddodd Veruca. 'Dwi eisiau un. Y cyfan sydd gyda *fi* gartre yw dau gi a phedair cath a chwe chwningen a dau baracît a thri chaneri a pharot gwyrdd a chrwban y môr a phowlen o bysgod aur a chaets o lygod gwyn a hen fochdew twp! Dwi eisiau *gwiwer*!'

'Iawn, cariad bach,' meddai Mrs Salt gan geisio ei chysuro. 'Fe gaiff Mam afael ar wiwer i ti cyn gynted ag y gall hi.'

'Ond dwi ddim eisiau *unrhyw* wiwer!' gwaeddodd Veruca. 'Dwi eisiau wiwer wedi ei *hyfforddi*!'

Ar hyn, camodd Mr Salt, tad Veruca, ymlaen. 'Iawn, 'te, Wonka,' meddai'n bwysig, gan gymryd waled yn llawn arian o'i boced, 'faint ydych chi eisiau am un o'r gwiwerod yma? Dwedwch beth yw'ch pris chi.'

'Dydyn nhw ddim ar werth,' atebodd Mr Wonka. 'Chaiff hi ddim un.'

'Pwy sy'n dweud na alla i?' gwaeddodd Veruca. 'Dwi'n mynd i mewn i gael un fy hunan y funud hon!'

'Paid!' meddai Mr Wonka'n gyflym, ond roedd e'n rhy hwyr. Roedd y ferch eisoes wedi rhoi hergwd i'r drws ac wedi rhuthro i mewn.

Yr eiliad yr aeth hi i mewn i'r ystafell, rhoddodd cant o wiwerod y gorau i'w gwaith a throi eu pennau i edrych arni â llygaid bychain du.

Safodd Veruca Salt hefyd, a syllu'n ôl arnyn nhw. Yna sylwodd ar wiwer fach bert oedd yn eistedd nesaf ati ar ben y ford. Roedd y wiwer yn dal cneuen Ffrengig rhwng ei phawennau.

'Iawn,' meddai Veruca, 'fe gaf i *ti*!'

Estynnodd hi ei dwylo i gydio yn y wiwer ... ond wrth iddi wneud hynny ... yn ystod yr eiliad gyntaf pan ddechreuodd ei dwylo symud ymlaen ... digwyddodd fflach o symud yn yr ystafell, fel fflach o fellt brown, a llamodd pob un o'r gwiwerod o gwmpas y ford tuag ati a glanio ar ei chorff.

Cydiodd dau ddeg pump ohonyn nhw yn ei braich dde, a'i dal yn sownd.

Cydiodd dau ddeg pump arall yn ei braich chwith, a dal honno'n sownd.

Cydiodd dau ddeg pump yn ei choes dde a'i hangori i'r llawr.

Cydiodd dau ddeg *pedwar* yn ei choes chwith.

A dyma'r un wiwer oedd ar ôl (eu harweinydd nhw i gyd, mae'n amlwg) yn dringo ar ei hysgwydd a dechrau pwnio pen y ferch druan â'i migyrnau.

'Achubwch hi!' gwaeddodd Mrs Salt. 'Veruca! Dere'n ôl! Beth maen nhw'n *wneud* iddi?'

'Maen nhw'n profi i weld a yw hi'n gneuen wag ai peidio,' meddai Mr Wonka. 'Gwyliwch nawr.'

Gwingodd Veruca'n gynddeiriog, ond daliodd y gwiwerod ynddi'n dynn ac allai hi ddim symud. Roedd y wiwer ar ei hysgwydd yn dal i bwnio ochr ei phen â'i migyrnau.

Yna'n sydyn reit, tynnodd y gwiwerod Veruca i'r llawr a dechrau ei chario ar draws yr ystafell.

'Arswyd y byd, mae hi *yn* gneuen wag wedi'r cyfan,' meddai Mr Wonka. 'Roedd ei phen yn swnio'n gau, mae'n rhaid.'

Ciciodd a sgrechiodd Veruca, ond yn ofer. Daliai'r pawennau bach cryf hi'n dynn ac allai hi ddim dianc.

'I ble maen nhw'n mynd â hi?' sgrechiodd Mrs Salt.

'Mae hi'n mynd lle mae'r cnau gwag eraill i gyd yn mynd,' meddai Mr Wili Wonka. 'I lawr y twll sbwriel.'

'Arswyd, mae hi *yn* mynd i lawr y twll!' meddai Mr Salt, gan syllu drwy'r drws gwydr ar ei ferch.

'Achub hi, 'te!' gwaeddodd Mrs Salt.

'Rhy hwyr,' meddai Mr Wonka. 'Mae hi wedi mynd!'

Ac yn wir, roedd hi wedi hefyd.

'Ond i ble?' sgrechiodd Mrs Salt, gan guro'i breichiau fel adenydd. 'Beth sy'n digwydd i'r cnau gwag? I ble mae'r twll yn mynd?'

'Mae'r twll *arbennig* yna,' meddai Mr Wonka wrthi, 'yn mynd yn syth i'r brif biben sbwriel fawr sy'n cario'r holl sbwriel o bob rhan o'r ffatri – popeth sydd wedi ei ysgubo o'r llawr a chrafion tatws a bresych pwdr a phennau pysgod a phethau felly.'

'Pwy sy'n bwyta pysgod a bresych a thatws yn y ffatri *hon*, hoffwn i wybod?' meddai Mike Teavee.

'Fi, wrth gwrs,' atebodd Mr Wonka. 'Dwyt ti ddim yn meddwl 'mod i'n byw ar ffa coco, wyt ti?'

'Ond ... ond ... ond ...' sgrechiodd Mrs Salt, 'i ble mae'r biben anferth yna'n mynd yn y pen draw?'

'Wel, i'r ffwrnais, wrth gwrs,' meddai Mr Wonka'n ddigyffro. 'I'r llosgydd.'

Agorodd Mrs Salt ei cheg enfawr goch a dechrau sgrechian.

'Peidiwch â phoeni,' meddai Mr Wonka, 'mae'n dal yn bosib eu bod nhw wedi penderfynu peidio â'i danio fe heddiw.'

'Yn *bosib*!' bloeddiodd Mrs Salt. 'Fy annwyl Veruca! Fe ... fe .... fe gaiff hi ei ffrio fel sosej!'

'Eitha reit, cariad,' meddai Mr Salt. 'Nawr, edrychwch, Wonka,' ychwanegodd. 'Dwi'n credu eich bod chi wedi mynd *fymryn* yn rhy bell y tro yma, ydw wir. Efallai fod fy merch i'n dipyn o slebog – does dim ots gyda fi gyfaddef hynny – ond dyw hynny ddim yn golygu y gallwch chi ei rhostio hi'n grimp. Dwi eisiau dweud wrthoch chi 'mod i'n hynod grac am hyn, ydw wir.'

'O, peidiwch â bod yn grac, syr annwyl!' meddai Mr Wonka. 'Mae'n debyg y daw hi i'r golwg yn hwyr neu'n hwyrach. Efallai nad yw hi wedi mynd i lawr o gwbl. Efallai ei bod hi'n sownd yn y twll yn union o dan y fynedfa, ac os *hynny*, y cyfan sydd gyda chi i'w wneud yw mynd i mewn a'i thynnu hi i fyny eto.'

O glywed hyn, rhuthrodd Mr a Mrs Salt i mewn i'r Ystafell Gnau a rhedeg draw at y twll yn y llawr a syllu i mewn iddo.

'Veruca!' gwaeddodd Mrs Salt. 'Wyt ti i lawr 'na?'

Doedd dim ateb.

Plygodd Mrs Salt ymlaen i edrych yn fanylach. Roedd hi nawr yn penlinio reit ar ymyl y twll gyda'i phen i lawr a'i phen-ôl enfawr lan yn yr awyr fel madarchen anferth. Roedd hi'n sefyllfa beryglus i fod ynddi. Dim ond un gwthiad fach roedd ei angen arni … un gwthiad bach yn y man iawn … a *dyna*'n union beth roddodd y gwiwerod iddi! Lawr â hi i'r twll, â'i phen gyntaf, dan sgrechian fel parot.

'O'r annwyl!' meddai Mr Salt, wrth iddo wylio ei wraig dew yn cwympo i lawr y twll, 'fe fydd 'na lwyth o sbwriel heddiw!' Gwelodd hi'n diflannu i'r

tywyllwch. 'Sut le sydd lawr yna, Angina?' galwodd. Pwysodd ymlaen eto.

Rhuthrodd y gwiwerod y tu ôl iddo …

'Help!' gwaeddodd.

Ond roedd e eisoes yn cwympo ymlaen, ac i lawr i'r twll â fe, yn union fel roedd ei wraig wedi mynd o'i flaen – a'i ferch.

'O *diar*!' gwaeddodd Charlie, a oedd yn gwylio gyda'r lleill drwy'r drws, 'beth yn y byd sy'n mynd i ddigwydd iddyn nhw nawr?'

'Mae'n debyg y gwnaiff rhywun eu dal nhw ar waelod y twll,' meddai Mr Wonka.

'Ond beth am y llosgydd mawr tanllyd?' gofynnodd Charlie.

'Dim ond bob yn ail ddiwrnod maen nhw'n ei gynnau e,' meddai Mr Wonka. 'Efallai mai heddiw yw un o'r diwrnodau pan fyddan nhw'n ei adael i ddiffodd. Dwyt ti byth yn gwybod … efallai y byddan nhw'n lwcus …'

'Ust!' meddai Tad-cu Joe. 'Gwrandewch! Dyma gân arall yn dod!'

Ymhell o ben draw'r coridor daeth curiadau drymiau. Yna dechreuodd y canu.

'Ferwca Hallt!' canodd yr Wmpalwmpas.
'*Ferwca Hallt, nid yw hi'n angel,*
A ddiflannodd i'r twll sbwriel.
(Ni hoffem chwaith ei hen rieni
Felly – lawr i'r twll â'r rheini.)
Lawr â Ferwca! Lawr i'r draen!
Ac wrth iddi fynd ymlaen
Fe gaiff gwrdd â ffrindiau lu
Na fydd hi yn eu hedmygu.
Bydd y rhain yn llai dymunol
Na'r rhai adawodd ar ei hôl –
Pen pysgodyn, dorrwyd heddiw
O leden fawr â chen symudliw,
"Helô! Pa hwyl sydd? Sut wyt ti?
Mae cwrdd yn bleser mawr i mi."
Yna wrth fynd lawr ymhellach
Bydd llwyth arall o betheuach:
Llysiau pwdr, hen dorth wen,
Crofen bacwn, hen fisgeden,
Darn o stecen waedlyd, ddrewllyd,
Hen fwyd ci a physgod seimllyd,
Darn o gaws a hwnnw'n drewi,

Afal brown ac adain twrci,
Rhywbeth llwyd a ddaliodd pws,
Hen gnau mwnci, crafion tatws,
A llwyth o bethau eraill hefyd
Pob un yn hen a chas a drewllyd.
Dyma'i ffrindiau newydd hi,
Ferwca Hallt, yn wir i chi,
Dyma'r pris sydd rhaid ei dalu
A'r gosb am beidio â'i disgyblu.
Os ydych, blantos, nawr yn meddwl
Nad ei bai hi oedd y trwbwl,
Na all y ferch ddifetha'i hun,
Na'i throi yn berson sydd mor wrthun.
Pwy *sy'n gyfrifol felly, 'te?*
Pwy *wnaeth i'r cyfan fynd o'i le?*
Pwy *roddodd bopeth roedd hi'n mofyn,*
A phrynu sothach iddi heb ofyn?
Pwy *yw'r rhai euog?* Pwy *wnaeth hyn?*
Does dim rhaid mynd dros bant a bryn,
I chwilio am y ddeuddyn anfad,
Sef (hyn sydd drist) ei mam a'i thad.
A dyna pam ein bod ni'n llawen
Eu bod nhw hefyd ar y domen.'

25

Y Lifft Mawr Gwydr

'Welais i erioed ddim byd tebyg!' gwaeddodd Mr Wonka. 'Mae'r plant yn diflannu fel cwningod! Ond peidiwch â phoeni am y peth! Byddan nhw i gyd yn iawn yn y pen draw!'

Edrychodd Mr Wonka ar y criw bach a safai wrth ei ochr yn y coridor. Dim ond dau blentyn oedd ar ôl nawr – Mike Teavee a Charlie Bucket. Ac roedd tri oedolyn, Mr a Mrs Teavee a Tad-cu Joe. 'Ydych chi eisiau i ni fynd yn ein blaenau?' gofynnodd Mr Wonka.

'O, ydyn!' gwaeddodd Charlie a Tad-cu Joe, y ddau gyda'i gilydd.

'Mae fy nhraed i'n blino,' meddai Mike Teavee. 'Dwi eisiau edrych ar y teledu.'

'Os wyt ti wedi blino, gwell i ni fynd yn y lifft,' meddai Mr Wonka. 'Mae e draw fan hyn. Dewch yn eich blaen! I mewn â ni!' Sbonciodd ar draws y coridor at bâr o ddrysau dwbl. Llithrodd y drysau ar agor. Aeth y ddau blentyn a'r oedolion i mewn.

'Nawr, 'te,' meddai Mr Wonka, 'pa fotwm wasgwn ni gyntaf? Dewiswch chi!'

Syllodd Charlie Bucket o'i gwmpas mewn rhyfeddod. Dyma'r lifft rhyfeddaf roedd e erioed wedi ei weld. Roedd botymau ym mhobman! Roedd y waliau, a hyd yn oed y *nenfwd,* wedi eu gorchuddio â rhesi a rhesi a rhesi o fotymau bach du i'w gwasgu! Rhaid bod mil ohonyn nhw ar bob wal, a mil arall ar y nenfwd! A nawr dyma Charlie'n sylwi bod label bychan wedi'i argraffu ar bwys pob botwm i ddweud wrthoch chi i ba ystafell fyddech chi'n mynd tasech chi'n ei wasgu fe.

'Nid dim ond lifft lan-a-lawr cyffredin mo hwn!' cyhoeddodd Mr Wonka'n falch. 'Mae'r lifft hwn yn gallu mynd i'r ochr, ar draws ac ar oleddf a phob ffordd arall y gallwch chi feddwl amdani! Mae'n gallu mynd i unrhyw ystafell yn y ffatri gyfan, dim ots ble mae hi! Dim ond gwasgu'r botwm ... a *bing*! ... bant â chi!'

'*Anhygoel!*' murmurodd Tad-cu Joe. Roedd ei lygaid yn disgleirio gan gyffro wrth iddo syllu ar y rhesi o fotymau.

'Mae'r lifft i gyd wedi'i wneud o wydr clir trwchus!' cyhoeddodd Mr Wonka. 'Mae'r waliau, y drysau, y nenfwd, y llawr, popeth wedi'i wneud o wydr er mwyn i chi allu gweld mas!'

'Ond does dim i'w weld,' meddai Mike Teavee.

'Dewiswch fotwm!' meddai Mr Wonka. 'Gall y ddau blentyn ddewis un botwm yr un. Felly dewiswch! Brysiwch! Ym mhob ystafell, mae rhywbeth blasus a rhyfeddol yn cael ei wneud.'

Yn gyflym, dechreuodd Charlie ddarllen rhai o'r labeli wrth ochr y botymau.

CLODDFA ROC – 10,000 O DROEDFEDDI O DDYFNDER oedd ar un.

RINC SGLEFRIO-IÂ CNAU COCO oedd ar un arall.

Yna … DRYLLIAU DŴR SUDD MEFUS.

COED AFALAU TAFFI I'W PLANNU YN EICH GARDD – POB MAINT

LOSIN FFRWYDROL I'CH GELYNION

LOLIPOPS SY'N GOLEUO I'W BWYTA YN Y GWELY GYDA'R NOS.

JIW-JIWBIAU MINTYS I'R BACHGEN DRWS NESAF – BYDD EI DDANNEDD E'N WYRDD AM FIS.

LOSIN CARAMEL I LENWI TYLLAU YN EICH DANNEDD – DIM ANGEN MYND AT Y DEINTYDD BYTH ETO.

LOSIN GLUDIO GENAU AR GYFER RHIENI SIARADUS.

LOSIN GWINGLYD SY'N GWINGO'N HYFRYD YN EICH BOL AR ÔL EU LLYNCU.

BARIAU SIOCLED ANWELEDIG I'W BWYTA YN Y DOSBARTH.

PENSILIAU WEDI EU GORCHUDDIO Â SIWGR I'W SUGNO.

PYLLAU NOFIO LEMONÊD BYRLYMOG.

CYFFUG DWYLO HUD – PAN FYDDWCH CHI'N EI DDAL YN EICH DWYLO, RYDYCH YN EI FLASU YN EICH CEG.

DIFERION YR ENFYS – SUGNWCH NHW A BYDDWCH CHI'N GALLU POERI MEWN CHWE LLIW GWAHANOL.

'Dewch, dewch!' gwaeddodd Mr Wonka. 'Allwn ni ddim aros drwy'r dydd!'

'Oes 'na *Ystafell Deledu* yng nghanol y rhain i gyd?' gofynnodd Mike Teavee.

'Wrth gwrs fod 'na ystafell deledu,' meddai Mr

Wonka. 'Y botwm yna draw fan 'na.' Pwyntiodd â'i fys. Edrychodd pawb. SIOCLED-TELEDU oedd ar y label pitw bach ar bwys y botwm.

'*Hwrê!*' gwaeddodd Mike Teavee. 'Dyna'r lle i fi!' Estynnodd ei fys bawd a gwasgu'r botwm. Yn syth, daeth sŵn chwyrlïo mawr. Caeodd y drysau'n glep a llamodd y lifft i ffwrdd fel petai wedi cael ei bigo gan wenynen. Ond llamu *i'r ochr* wnaeth e! A chafodd pob un o'r teithwyr (heblaw am Mr Wonka, a oedd yn cydio mewn strapen o'r nenfwd) eu taflu oddi ar eu traed i'r llawr.

'Codwch, codwch!' gwaeddodd Mr Wonka, gan ruo chwerthin. Ond wrth iddyn nhw godi ar eu traed, newidiodd y lifft ei gyfeiriad a gwyro'n wyllt o gwmpas cornel. A lawr â nhw unwaith eto.

'Help!' gwaeddodd Mrs Teavee.

'Cydiwch yn fy llaw i, madam,' meddai Mr Wonka'n fonheddig. 'Dyna chi! Nawr cydiwch yn y strapen hon! Cydiwch mewn strapen, bawb. Dyw'r daith ddim ar ben eto!'

Cododd Tad-cu Joe'n llawn ffwdan ar ei draed a chydio mewn strapen. Rhoddodd Charlie bach, na allai estyn mor uchel â hynny, ei freichiau o gwmpas coesau Tad-cu Joe a dal yn dynn.

Rhuthrodd y lifft yn ei flaen mor gyflym â roced. Nawr roedd e'n dechrau dringo. Roedd e'n saethu i fyny ac i fyny ar oleddf fel petai'n dringo bryn serth iawn. Yna'n sydyn, fel petai wedi dod i gopa'r bryn ac wedi mynd dros glogwyn, cwympodd fel carreg a theimlai Charlie ei fol yn dod i'w wddf, a gwaeddodd Tad-cu Joe, 'Hwrê! Bant â ni!' a gwaeddodd Mrs Teavee, 'Mae'r rhaff wedi torri! Rydyn

ni'n mynd i gael damwain!' A meddai Mr Wonka, 'Peidiwch â gwylltu, wraig annwyl,' a'i chyffwrdd ar ei braich i'w chysuro. Ac yna edrychodd Tad-cu Joe i lawr ar Charlie a oedd yn dal yn sownd wrth ei goesau, a dweud, 'Wyt ti'n iawn, Charlie?' Gwaedd-odd Charlie, 'Dwi'n dwlu ar hyn! Mae hi fel bod yn y ffair!' A thrwy waliau gwydr y lifft, wrth iddo ruthro yn ei flaen, dyma nhw'n cael cip ar bethau rhyfedd a rhyfeddol oedd yn digwydd yn rhai o'r ystafelloedd eraill:

Ceg anferth â stwff brown gludiog yn ffrydio allan ohoni i'r llawr …

Mynydd mawr creigiog wedi ei wneud o gyffug i gyd, gyda Wmpalwmpas (wedi eu clymu â rhaff wrth ei gilydd i'w cadw'n ddiogel) yn torri darnau enfawr o gyffug o'i lethrau …

Peiriant â phowdr gwyn yn chwistrellu ohono fel storm eira.

Llyn o garamel poeth a stêm yn codi oddi arno …

Pentref o Wmpalwmpas, gyda thai a strydoedd pitw bach a channoedd o blant yr Wmpalwmpas dim mwy na deg centimetr o daldra'n chwarae yn y strydoedd …

A nawr dechreuodd y lifft fynd yn fwy gwastad unwaith eto, ond roedd e fel petai e'n mynd yn gynt nag erioed, a gallai Charlie glywed sgrech y gwynt y tu allan wrth iddo wibio yn ei flaen … a throelli …. a throi … a chodi … a disgyn … a …

'Dwi'n mynd i fod yn dost!' gwaeddodd Mrs Teavee, a'i hwyneb yn troi'n wyrdd.

'Plîs, peidiwch â bod yn dost,' meddai Mr Wonka.

'Ceisiwch chi fy rhwystro i,' meddai Mrs Teavee.

'Yna gwell i chi gael hon,' meddai Mr Wonka, a thynnodd ei het silc ddu ryfeddol oddi ar ei ben, a'i dal hi, ben i waered, o flaen ceg Mrs Teavee.

'Gwnewch i'r peth ofnadwy yma stopio!' gorchmynnodd Mr Teavee.

'Alla i ddim gwneud hynny,' meddai Mr Wonka. 'Wnaiff e ddim stopio tan i ni gyrraedd yno. Dim ond gobeithio bod neb yn defnyddio'r lifft *arall* ar hyn o bryd.'

'Pa lifft arall?' sgrechiodd Mrs Teavee.

'Yr un sy'n dod o'r cyfeiriad arall ar yr un llwybr â hwn,' meddai Mr Wonka.

'Arswyd y byd!' gwaeddodd Mr Teavee. 'Ydych chi'n meddwl y gallen ni fwrw yn erbyn ein gilydd?'

'Dwi wastad wedi bod yn lwcus hyd yn hyn,' meddai Mr Wonka.

'Nawr dwi *yn* mynd i fod yn dost!' bloeddiodd Mrs Teavee.

'Na, na!' meddai Mr Wonka. 'Dim nawr! Rydyn ni bron â chyrraedd! Peidiwch â difetha fy het i!'

Yr eiliad nesaf, sgrechiodd y brêc a dechreuodd y lifft arafu. Yna stopiodd yn llwyr.

'Roedd honna'n reid a hanner!' meddai Mr Teavee, gan sychu ei wyneb mawr chwyslyd â hances boced.

'Byth eto!' meddai Mrs Teavee, â'i gwynt yn ei dwrn. Ac yna llithrodd drysau'r lifft ar agor a meddai Mr Wonka, 'Arhoswch funud nawr! Gwrandewch arna i! Dwi eisiau i bawb fod yn ofalus iawn yn yr ystafell hon. Mae pethau peryglus iawn o gwmpas fan hyn, a *rhaid* i chi *adael llonydd* iddyn nhw.'

26

Yr Ystafell Siocled-Teledu

Camodd teulu'r Teavee, ynghyd â Charlie a Tad-cu Joe, o'r lifft i ystafell oedd mor llachar o ddisglair a llachar o wyn fel y caeon nhw eu llygaid mewn poen a stopio cerdded. Rhoddodd Mr Wonka bob o bâr o sbectol tywyll iddyn nhw a dweud, 'Gwisgwch y rhain yn glou! A pheidiwch â'u tynnu nhw bant i mewn fan hyn er mwyn popeth! Fe allai'r golau yma eich dallu chi!'

Cyn gynted ag roedd ei sbectol dywyll am Charlie, gallai edrych o'i gwmpas yn gysurus. Roedd yr ystafell wedi ei pheintio'n wyn drosti. Roedd y llawr yn wyn hyd yn oed, a doedd dim brycheuyn o lwch yn unman. O'r nenfwd, hongiai lampiau enfawr gan oleuo'r ystafell â golau glaswyn llachar. Roedd yr ystafell yn gwbl wag heblaw am y ddau ben eithaf. Yn un pen roedd camera enfawr ar olwynion, a heidiai byddin gyfan o Wmpalwmpas o'i gwmpas, yn rhoi olew ar ei gymalau ac yn addasu ei fotymau ac yn caboli ei lens gwydr mawr. Roedd yr Wmpalwmpas i gyd wedi'u gwisgo'n rhyfedd. Gwisgent siwtiau gofod coch llachar, gyda helmed a gogls hefyd – o leia roedden nhw'n edrych fel siwtiau gofod – ac roedd tawelwch llwyr wrth iddynt weithio. Wrth eu gwylio, câi Charlie'r teimlad fod perygl rhyfedd fan hyn. Roedd rhywbeth peryglus am yr holl fusnes, a gwyddai'r Wmpalwmpas hynny. Doedden nhw ddim yn siarad na chanu fan hyn, a symudent o gwmpas y camera du enfawr yn araf a gofalus yn eu siwtiau gofod ysgarlad.

Ym mhen draw'r ystafell, rhyw bum deg cam o'r camera, eisteddai un Wmpalwmpa (gwisgai hwnnw siwt ofod hefyd) wrth ford ddu gan syllu ar sgrin set deledu fawr iawn.

'Dyma ni 'te!' gwaeddodd Mr Wonka, gan sboncio'n llawn cyffro i fyny ac i lawr. 'Dyma'r Ystafell Brofi ar gyfer fy nyfais ddiweddaraf a'r fwyaf eto – Siocled-Teledu!'

'Ond beth *yw* Siocled-Teledu?' gofynnodd Mike Teavee.

'Nefoedd wen, blentyn, paid â thorri ar draws o hyd!' meddai Mr Wonka. 'Mae e'n gweithio drwy'r teledu. Dwi ddim yn hoffi teledu fy hun. Mae'n debyg ei fod e'n iawn fesul tipyn, ond dyw plant byth eisiau tipyn bach ohono fe. Maen nhw eisiau eistedd fan'na drwy'r dydd gwyn yn syllu a syllu ar y sgrin ...'

'Dyna beth dwi'n gwneud!' meddai Mike Teavee.

'Cau dy geg!' meddai Mr Teavee.

'Diolch,' meddai Mr Wonka. 'Fe ddweda i wrthoch chi nawr sut mae'r set deledu anhygoel yma sydd gyda fi'n gweithio. Ond yn gyntaf oll, ydych chi'n gwybod sut mae teledu cyffredin yn gweithio? Mae e'n syml iawn. Yn un pen, lle mae'r llun yn cael ei dynnu, mae camera mawr gyda chi ac rydych chi'n dechrau tynnu ffotograff o rywbeth. Mae'r ffotograffau wedyn yn cael eu rhannu'n filiynau o dameidiau bach sydd mor fach fel na allwch chi eu gweld nhw, ac mae'r tameidiau bach hyn yn cael eu saethu allan i'r awyr gan drydan. Yn yr awyr, maen nhw'n chwyrlïo o gwmpas y lle nes iddyn nhw daro'r erial ar do tŷ rhywun. Yna maen nhw'n fflachio i lawr y weiren sy'n arwain yn syth i gefn y set deledu, a'r fan honno maen nhw'n cael eu troi a'u cymysgu nes o'r diwedd mae pob tamaid bach o'r miliynau o ddarnau wedi cael eu rhoi'n ôl yn y lle iawn (yn union fel pôs jig-sô), a dyna ni! mae'r ffotograff yn ymddangos ar y sgrin ...'

'Nid dyna'n union sut mae'n gweithio,' meddai Mike Teavee.

'Dwi ychydig yn drwm fy nghlyw yn fy nghlust chwith,' meddai Mr Wonka. 'Rhaid i ti faddau i mi os nad ydw i'n clywed popeth rwyt ti'n ei ddweud.'

'Dweud nad dyna'n *union* sut mae'n gweithio wnes i!' gwaeddodd Mike Teavee.

‘Rwyt ti’n fachgen bach dymunol,’ meddai Mr Wonka, ‘ond rwyt ti’n siarad gormod. Nawr ’te! Y tro cyntaf i mi weld teledu cyffredin yn gweithio, fe ges i syniad anhygoel. “Edrychwch!” gwaeddais. “Os yw’r bobl yma’n gallu torri *ffotograff* yn filiynau o dameidiau ac anfon y tameidiau i chwyrlïo drwy’r awyr ac yna eu rhoi nhw at ei gilydd yn y pen draw, pam na alla i wneud yr un peth gyda baryn o siocled? Pam na alla *i* anfon baryn o siocled go iawn i chwyrlïo drwy’r awyr yn dameidiau bach ac yna rhoi’r darnau at ei gilydd yn y pen draw, yn un baryn yn barod i’w fwyta?”’

‘Amhosibl!’ meddai Mike Teavee.

‘Wyt ti’n meddwl hynny?’ gwaeddodd Mr Wonka. ‘Wel, gwylia hyn! Nawr fe fydda i’n anfon baryn o fy siocled gorau o un pen o’r ystafell hon i’r llall – drwy’r teledu! Ydych chi’n barod draw fan’na? Dewch â’r siocled i mewn!’

Yn syth, martsiodd chwech o’r Wmpalwmpas ymlaen gan gario ar eu hysgwyddau y baryn mwyaf anferth o siocled a welsai Charlie erioed. Roedd e tua maint y matras roedd e’n cysgu arno gartref.

'Rhaid iddo fe fod yn fawr,' eglurodd Mr Wonka, 'achos pryd bynnag fyddwch chi'n anfon rhywbeth drwy'r teledu, mae e bob amser yn dod allan yn llawer llai nag oedd e pan aeth e i mewn. Hyd yn oed gyda theledu *cyffredin*, pan fyddwch chi'n tynnu ffotograff o ddyn mawr, fydd e byth yn dod mas ar eich sgrin chi'n dalach na phensil, na fydd? Dyma ni, 'te! Barod! *Na, na! Stopiwch! Arhoswch, bawb!* Ti, draw fan'na! Mike Teavee! Saf 'nôl! Rwyt ti'n rhy agos at y camera! Mae pelydrau peryglus yn dod mas o'r peth yna! Fe allen nhw dy dorri di'n filiynau o dameidiau bach mewn eiliad! Dyna pam mae'r Wmpalwmpas yn gwisgo siwtiau gofod! Mae'r siwtiau'n eu gwarchod nhw! Iawn! Dyna welliant! Nawr 'te! *Trowch y switsh ymlaen!*'

Cydiodd un o'r Wmpalwmpas mewn switsh mawr a'i dynnu i lawr.

Daeth fflach i ddallu pawb.

'Mae'r siocled wedi mynd!' gwaeddodd Tad-cu Joe, gan chwifio'i freichiau.

Roedd e yn llygad ei le! Roedd y baryn anferth cyfan o siocled wedi diflannu'n llwyr!

'Mae e ar ei ffordd!' gwaeddodd Mr Wonka. 'Nawr mae e'n rhuthro drwy'r awyr uwch ein pennau ni'n filiynau o dameidiau mân. Dewch, glou! Dewch draw fan hyn!' Gwibiodd draw i ben draw'r ystafell lle roedd set deledu fawr, a dilynodd y lleill. 'Gwyliwch y sgrin!' gwaeddodd. 'Dyma fe'n dod! Gwyliwch!'

Dyma'r sgrin yn fflachio a goleuo. Yna'n sydyn, ymddangosodd baryn bach o siocled yng nghanol y sgrin.

'Cydiwch ynddo fe!' gwaeddodd Mr Wonka, yn cyffroi fwyfwy.

'Sut gallwch chi gydio ynddo fe?' gofynnodd Mike Teavee, dan chwerthin. 'Dim ond llun ar sgrin deledu yw e!'

'Charlie Bucket!' gwaeddodd Mr Wonka. 'Cydia *di* ynddo fe! Estyn dy law a chydia ynddo fe!'

Dyma Charlie'n estyn ei law a chyffwrdd â'r sgrin, ac yn sydyn, yn wyrthiol, daeth y baryn siocled o'r sgrin i'w fysedd. Roedd e wedi synnu cymaint, buodd e bron â'i ollwng e.

'Bwyta fe!' gwaeddodd Mr Wonka. 'Cymer e i'w fwyta! Bydd e'n blasu'n wych! Yr un baryn yw e! Mae e wedi mynd yn llai ar y daith, dyna i gyd!'

'Mae e'n gwbl anhygoel!' meddai Tad-cu Joe mewn syndod. 'Mae'n ... mae'n ... mae'n wyrth!'

'Dychmygwch,' gwaeddodd Mr Wonka, 'pan ddechreua i ddefnyddio hwn dros y wlad ... byddwch chi'n eistedd gartref yn gwylio'r teledu ac yn sydyn bydd hysbyseb yn fflachio ar y sgrin a bydd llais yn dweud, "BWYTWCH SIOCLEDI WONKA! Y GORAU YN Y BYD! OS NAD YDYCH CHI'N EIN CREDU NI, PROFWCH UN EICH HUNAN – *NAWR!*" A dim ond estyn a chymryd un bydd rhaid i chi wneud! Beth am hynny, 'te?'

'Gwych!' gwaeddodd Tad-cu Joe. 'Fe fydd hyn yn newid y byd!'

27

Mike Teavee yn Cael ei Anfon drwy'r Teledu

Roedd Mike Teavee wedi cyffroi hyd yn oed yn fwy na Tad-cu Joe o weld bar o siocled yn cael ei anfon drwy'r teledu. 'Ond Mr Wonka,' gwaeddodd, 'allwch chi anfon *pethau eraill* drwy'r awyr yn yr un ffordd? Creision ŷd, er enghraifft?'

'O'r mawredd!' gwaeddodd Mr Wonka. 'Paid â sôn am y stwff dychrynllyd yna wrtha i! Wyt ti'n gwybod beth sy'n cael ei ddefnyddio i wneud creision ŷd? Yr holl ddarnau bach cyrliog o bren sydd mewn naddwyr pensiliau!'

'Ond allech chi ei anfon e drwy'r teledu tasech chi eisiau, fel rydych chi'n anfon siocled?' gofynnodd Mike Teavee.

'Wrth gwrs y gallwn i!'

'A beth am bobl?' gofynnodd Mike Teavee.

'Allech chi anfon person byw go iawn o un lle i'r llall yn yr un ffordd?'

'*Person!*' gwaeddodd Mr Wonka. 'Wyt ti wedi drysu, dwed?'

'Ond *allech* chi wneud hynny?'

'Nefoedd wen, fachgen, dwn i ddim wir ... mae'n debyg y *gallwn* i ... gallwn. Dwi bron yn siŵr y gallwn i … wrth gwrs y gallwn i … fyddwn i ddim eisiau mentro, cofia … fe allai rhywbeth cas ddigwydd …'

Ond roedd Mike Teavee wedi mynd dan redeg yn barod. Yr eiliad y clywodd e Mr Wonka'n dweud, 'Dwi bron yn siŵr y gallwn i … wrth gwrs y gallwn i ,' trodd a dechrau rhedeg nerth ei draed at ben draw'r ystafell lle safai'r camera enfawr. 'Edrychwch arna i!' gwaeddodd wrth iddo redeg. 'Fi fydd y person cyntaf yn y byd i gael ei anfon drwy'r teledu!'

'*Na, na, na, na!'* gwaeddodd Mr Wonka.

'Mike!' sgrechiodd Mrs Teavee. 'Aros! Dere 'nôl! Fe gei di dy droi'n filiynau o dameidiau bach!'

Ond doedd dim modd rhwystro Mike Teavee nawr. Rhuthrodd y bachgen ynfyd yn ei flaen, a phan ddaeth at y camera anferth, neidiodd yn syth am y switsh, gan wasgaru Wmpalwmpas i'r dde ac i'r chwith ar ei ffordd.

'Ta-ta tan toc!' gwaeddodd, a dyma fe'n tynnu'r switsh i lawr, ac wrth iddo wneud hynny, llamodd allan i olau cryf y lens enfawr.

Daeth fflach i ddallu pawb.

Yna tawelwch.

Yna rhedodd Mrs Teavee ymlaen … ond safodd yn stond yng nghanol yr ystafell … a safodd … safodd a syllu ar y man lle roedd ei mab wedi bod … a dyma ei cheg fawr goch yn agor led y pen a sgrechiodd, 'Mae e wedi mynd! Mae e wedi mynd!'

'Arswyd y byd, mae e *wedi* mynd!' gwaeddodd Mr Teavee.

Brysiodd Mr Wonka ymlaen a gosod ei law'n dyner ar ysgwydd Mrs Teavee. 'Bydd rhaid i ni obeithio'r

gorau,' meddai. 'Rhaid i ni weddïo y bydd eich mab bach chi'n dod allan yn ddianaf yn y pen draw.'

'Mike!' sgrechiodd Mrs Teavee, gan ddal ei phen yn ei dwylo. 'Ble rwyt ti?'

'Fe ddweda i wrthot ti ble mae e,' meddai Mr Teavee, 'mae e'n chwyrlïo o gwmpas uwch ein pennau ni yn filiynau o dameidiau bach!'

'Paid â siarad am y peth!' llefodd Mrs Teavee.

'Rhaid i ni wylio'r set deledu,' meddai Mr Wonka. 'Gall e ddod drwodd unrhyw eiliad.'

Ymgasglodd pawb – Mr a Mrs Teavee a Tad-cu Joe

a Charlie bach a Mr Wonka – o amgylch y teledu a rhythu'n llawn tensiwn ar y sgrin. Roedd y sgrin yn gwbl wag.

'Mae'n cymryd oesoedd i ymddangos,' meddai Mr Teavee, gan sychu ei dalcen.

'O diar, o diar,' meddai Mr Wonka, 'dwi'n gobeithio na fydd unrhyw ddarn ohono fe'n cael ei adael ar ôl.'

'Beth yn y byd ydych chi'n feddwl?' gofynnodd Mr Teavee'n swta.

'Dwi ddim eisiau codi ofn arnoch chi,' meddai Mr Wonka, 'ond weithiau dim ond hanner y tameid-iau bach sy'n cyrraedd y set deledu. Fe ddigwydd-odd hyn yr wythnos ddiwetha. Dwn i ddim pam, ond y canlyniad oedd mai dim ond hanner baryn o siocled ddaeth drwodd.'

Rhoddodd Mrs Teavee sgrech o arswyd. 'Ydych chi'n meddwl mai dim ond hanner Mike ddaw'n ôl aton ni?' gwaeddodd.

'Gadewch i ni obeithio mai'r hanner uchaf fydd e,' meddai Mr Teavee.

'Arhoswch!' meddai Mr Wonka. 'Gwyliwch y sgrin! Mae rhywbeth yn digwydd!'

Yn sydyn dechreuodd y sgrin fflachio.

Yna ymddangosodd llinellau tonnog.

Trodd Mr Wonka rai o'r botymau a diflannodd y llinellau tonnog.

A nawr, yn araf bach, dechreuodd y sgrin oleuo a goleuo.

'Dyma fe'n dod!' gwaeddodd Mr Wonka. 'Ie, fe yw hwnna, does dim dwywaith!'

'Ydy e'n gyfan?' gwaeddodd Mrs Teavee.

'Dwi ddim yn siŵr,' meddai Mr Wonka. 'Mae'n rhy gynnar imi allu dweud.'

Ymddangosodd llun o Mike Teavee ar y sgrin, yn aneglur i ddechrau, ond gan ddod yn fwy eglur bob eiliad. Roedd e'n sefyll ac yn codi ei law ar y gynulleidfa ac yn wên o glust i glust.

'Ond corrach yw e!' gwaeddodd Mr Teavee.

'Mike,' gwaeddodd Mrs Teavee, 'wyt ti'n iawn? Os darnau ohonot ti ar goll?'

'Ydy e'n mynd i dyfu?' gwaeddodd Mr Teavee.

'Siarada â fi, Mike!' gwaeddodd Mrs Teavee. 'Dwed rywbeth! Dwed wrtha i dy fod ti'n iawn!'

Daeth llais bach, bach, ddim uwch na gwichian llygoden, o'r sgrin deledu. 'Helô, Mam!' meddai. 'Helô, Dad! Edrych arna *i*! Fi yw'r person cyntaf erioed i gael ei anfon drwy'r teledu!'

'Cydiwch ynddo fe!' gorchmynnodd Mr Wonka. 'Glou!'

Saethodd llaw Mrs Teavee allan a chodi Mike Teavee'r corrach bach allan o'r sgrin.

'Hwrê!' gwaeddodd Mr Wonka. 'Mae e'n gyfan! Mae e'n gwbl ddianaf!'

'Ydych chi'n galw *hynna*'n ddianaf?' meddai Mrs Teavee'n swta, gan syllu ar y tamaid bach o fachgen oedd nawr yn rhedeg 'nôl a blaen ar draws cledr ei llaw, gan chwifio ei ddrylliau yn yr awyr.

Doedd e'n sicr ddim mwy na modfedd o daldra.

'Mae e wedi mynd yn *fach*!' meddai Mr Teavee.

'Wrth gwrs ei fod e wedi mynd yn fach,' meddai Mr Wonka. 'Beth roeddech chi'n ddisgwyl?'

'Mae hyn yn ofnadwy!' llefodd Mrs Teavee. 'Beth *wnawn* ni?'

Ac meddai Mr Teavee, 'Allwn ni ddim ei anfon e'n ôl i'r ysgol fel hyn! Fe gaiff e ei sathru dan draed! Fe gaiff e ei wasgu'n stecs!'

'Fydd e ddim yn gallu gwneud *dim byd*!' gwaeddodd Mrs Teavee.

'O, bydda, bydda!' gwichiodd llais bach Mike Teavee. 'Fe fydda i'n dal i allu gwylio'r teledu!'

'*Byth eto!*' gwaeddodd Mr Teavee. 'Dwi'n taflu'r hen set deledu 'na'n syth mas o'r ffenest yr eiliad y cyrhaeddwn ni adre. Dwi wedi cael llond bol ar deledu!'

Pan glywodd e hyn, aeth Mike Teavee'n gacwn wyllt. Dechreuodd neidio i fyny ac i lawr ar gledr llaw ei fam gan sgrechian a gweiddi a cheisio cnoi ei bysedd. 'Dwi eisiau gwylio'r teledu!' gwichiodd. 'Dwi eisiau gwylio'r teledu! Dwi eisiau gwylio'r teledu!'

'Dere! Rho fe i fi!' meddai Mr Teavee, a dyma fe'n cydio yn y bachgen pitw a'i wthio i boced brest ei siaced a stwffio hances boced ar ei ben. Daeth sŵn sgrechian a gweiddi o'r boced, ac ysgydwodd y boced wrth i'r carcharor bach cynddeiriog ymladd i ddod allan.

'O, Mr Wonka,' llefodd Mrs Teavee, 'sut gallwn ni wneud iddo fe dyfu?'

'Wel,' meddai Mr Wonka, gan redeg ei law dros ei farf ac edrych yn feddylgar ar y nenfwd, 'rhaid dweud bod hynny ychydig yn gymhleth. Ond mae bechgyn bach yn ystwyth fel lastig. Maen nhw'n ymestyn fel dwn i ddim beth. Felly'r hyn wnawn ni yw ei roi e mewn peiriant arbennig sydd gyda fi i brofi faint mae gwm cnoi'n ymestyn! Efallai y daw hynny â fe 'nôl i'r hyn oedd e.'

'O, diolch yn fawr!' meddai Mrs Teavee.

'Peidiwch â sôn, wraig annwyl.'

'Pa mor bell wnaiff e ymestyn, dych chi'n meddwl?' gofynnodd Mr Teavee.

'Milltiroedd, efallai,' meddai Mr Wonka. 'Pwy ŵyr? Ond mae e'n mynd i fod yn ofnadwy o denau. Mae popeth yn mynd yn denau wrth i chi ei ymestyn e.'

'Fel gwm cnoi rydych chi'n meddwl?' gofynnodd Mr Teavee.

'Yn union.'

'Pa mor denau fydd e?' gofynnodd Mrs Teavee'n bryderus.

'Does dim syniad gyda fi,' meddai Mr Wonka. 'A does dim ots wir, ta beth, achos gallwn ni ei besgi fe eto. Y cyfan fydd rhaid i ni ei wneud yw rhoi tair gor-ddos o fy Siocled Fitaminwych rhyfeddol i. Mae Siocled Fitaminwych yn cynnwys llawer iawn o fitamin A a fitamin B. Mae e hefyd yn cynnwys fitamin C, fitamin CH, fitamin D, fitamin DD, fitamin E, fitamin F, fitamin FF, fitamin G, fitamin NG, fitamin I, fitamin J, fitamin L, fitamin LL, fitamin M, fitamin N, fitamin O, fitamin P, fitamin PH, fitamin R, fitamin RH, fitamin T, fitamin TH, fitamin U, fitamin W, *a*, credwch neu beidio, fitamin Y. Yr unig ddau fitamin sydd ddim ynddo fe yw fitamin S, achos ei fod yn eich gwneud chi'n sâl, a fitamin H, achos ei fod e'n eich troi chi'n hurt. Ond *mae* ynddo fe ychydig bach iawn o'r fitamin prinnaf a mwyaf hudol ohonyn nhw i gyd – fitamin Wonka.'

'A beth fydd *hwnnw*'n ei wneud iddo fe?' gofynnodd Mr Teavee'n bryderus.

'Fe fydd e'n gwneud i fysedd ei draed dyfu nes y byddan nhw mor hir â'i fysedd …'

'O, na!' gwaeddodd Mrs Teavee.

'Peidiwch â bod yn ddwl,' meddai Mr Wonka. 'Mae hynny'n hynod ddefnyddiol. Fe fydd e'n gallu canu'r piano â'i draed.'

'Ond Mr Wonka …'

'Dim dadlau, *da chi*!' meddai Mr Wonka. Trodd oddi wrthyn nhw a chlecian dair gwaith â'i fysedd yn yr awyr. Ymddangosodd Wmpalwmpa'n syth a

sefyll wrth ei ochr. 'Dilyn y gorchmynion hyn,' meddai Mr Wonka, gan roi darn o bapur i'r Wmpalwmpa ac arno'r cyfarwyddiadau llawn roedd e wedi eu hysgrifennu. 'Ac fe ddewch chi o hyd i'r bachgen ym mhoced ei dad. Bant â chi! Hwyl fawr, Mr Teavee! Hwyl fawr, Mrs Teavee! A da chi, peidiwch ag edrych mor bryderus! Fe fydd pob un yn iawn yn y pen draw, wyddoch chi; pob un ohonyn nhw ...'

Ym mhen pella'r ystafell, roedd yr Wmpalwmpas o gwmpas y camera eisoes yn dechrau curo ar eu drymiau bach ac yn dechrau neidio i fyny ac i lawr i'r rhythm.

'Dyna nhw eto!' meddai Mr Wonka. 'Mae arna i ofn na allwch chi eu hatal nhw rhag canu.'

Cydiodd Charlie bach yn llaw Tad-cu Joe, a safodd y ddau ohonyn nhw wrth ochr Mr Wonka yng nghanol yr ystafell hir ddisglair, yn gwrando ar yr Wmpalwmpas. A dyma oedd eu cân:

Un peth pwysig sydd i'w ddysgu
Gan rai sydd â phlant i'w magu,
Yw na ddylent, rhag eu llygru,
Fynd ar gyfyl set deledu.
Gorau oll os gallwch beidio
Prynu un, a myned hebddo.
Ym mhob lolfa bron yng Nghymru,
At y sgrin mae plant yn tyrru,
Maen nhw'n lolian ac yn rhythu,
Gwylio tan i'w llygaid dasgu
Ar y llawr, a draw yn Llanbed
Ddoe roedd dwsin ar y carped.

Maen nhw'n gwylio yn ddiddiwedd,
Nes eu bod nhw mewn gwirionedd
Wedi'u hypnoteiddio'n llwyr
Gan y sothach, dyn a ŵyr.
Falle eu bod nhw'n cadw'n llonydd
Heb ymrafael byth a beunydd,
Byth yn ymladd nac yn pwnio,
A chewch amser i goginio,
Golchi'r llestri, hwfro'r carped,
Ond arhoswch i ystyried
Beth mae hyn yn gwneud i'r plantos
O wylio wythnos ar ôl wythnos?
GWNA I'W MEDDWL EFFRO BYDRU,
FEL NA ALLAN NHW DDYCHMYGU!
LLENWI PENNAU PLANT Â SBWRIEL,
FEL EU BOD YN DDALL A THAWEL
METHANT DDEALL BYD O HUD,
EISTEDD MAEN NHW'N DWP A MUD,
AC MAE POBL WEDI PROFI
BOD YMENNYDD PLANT YN RHEWI,
MAEN NHW'N GWYLIO, OND HEB SYLWI!
"Iawn," fe ddwedwch, "r'yn ni'n dysgu,
Ond os awn â'r set o'r neilltu,
Beth a wnawn ni i ddiddori
Yr hen blantos? Dwedwch, wnewch chi!"
Yr ateb gorau i esbonio,
Fyddai gofyn i chi gofio
Beth a gadwai plant yn ddiddig
Yn y dyddiau diflanedig
Cyn i'r ddyfais erchyll hon
Ddod i'n tai ni â'i helyntion.
Wnewch chi feddwl? Tewch â sôn,

Byddai'r plant o Fynwy i Fôn
WRTHI'N DARLLEN AC YN DARLLEN,
AC AR ÔL I'R DARLLEN ORFFEN,
Byddent yn mynd ati eto
I DDARLLEN llyfr cyn noswylio!
Byddai hanner eu bywydau'n
Cael ei dreulio'n darllen llyfrau!
Yn y lolfa roedd pentyrrau
A llwythi lliwgar, llawn o lyfrau.
A lan lofft, ar bwys y gwely,
Byddai mwy o lyfrau felly!
Chwedlau gwych â hanes dreigiau,
Breninesau, cymeriadau,
Sipswn, cewri a bwystfilod,
Ynys drysor a morfilod,
Smyglwyr a môr-ladron lu,
Gwrachod ynfyd yn crechwenu,
Llongau hwylio'n mynd a dod
O fôr i fôr, ac eliffantod,
A chanibaliaid hanner noeth
Wrthi'n troi cymysgedd poeth
Mewn crochan. (Beth sydd yn y pair?
Y nefoedd wen, Gwenllïan Mair!)
Dyma'r llyfrau 'slawer dydd
Oedd gan blantos oedd yn rhydd
O gaethiwed cas teledu
A'r diogi a'r syrffedu
Wel, Llyfr Mawr y Plant oedd yno
Wil Cwac Cwac, a Siân a Iolo,
Teulu'r Cwpwrdd Cornel hefyd,
Teulu Bach Nantoer mewn adfyd,
Twm Siôn Cati, Cantre'r Gwaelod,

Chwedlau Grimm yn llawn dihirod,
Chwedlau Esop, Eira Wen,
Nedw, Mops a'r hogyn pren.
Felly bawb, os ych chi'n medru,
Ceisiwch daflu eich teledu,
Ac yn ei le, rhowch silff o lyfrau.
Anwybyddwch y sgrechiadau,
Cnoi a chicio, gweiddi, brathu,
Plant yn strancio ac yn pwdu!
Peidiwch poeni, r'yn ni'n addo
Y byddan nhw, ar ôl 'styfnigo,
A gorweddian fel hen ych,
Eisiau darllen llyfr gwych!
Unwaith iddynt ddechrau darllen,
Byddan nhw o hyd yn llawen.
Ac yn raddol daw llawenydd
I'w calonnau a'u hymennydd.
A bydd synnu a rhyfeddu
Bod peth mor afiach â theledu
A'i sgrin fach wedi eu denu
I segura a syrffedu.
Bydd eich plant yn falch ohonoch,
Ac yn diolch am a wnaethoch.
O.N. O ran 'r hen Fike Teavee,
Ymddiheuro a wnawn i chi,
Anodd gwybod allwn ninnau
Ei droi'n ôl fel roedd e gynnau.
Os na allwn, fwy neu lai,
Arno fe ei hun mae'r bai.

28

Dim ond Charlie ar Ôl

'I ba ystafell yr awn ni nesaf?' gofynnodd Mr Wonka wrth iddo droi i ffwrdd a gwibio i mewn i'r lifft. 'Dewch! Brysiwch! *Rhaid* i ni ddal ati! A faint o blant sydd ar ôl nawr?'

Edrychodd Charlie bach ar Dad-cu Joe, ac edrychodd Tad-cu Joe 'nôl ar Charlie bach.

'Ond Mr Wonka,' galwodd Tad-cu Joe ar ei ôl, 'dim ond … dim ond Charlie sydd ar ôl nawr.'

Trodd Mr Wonka ar ei sawdl a syllu ar Charlie.

Bu tawelwch. Safai Charlie yno'n cydio'n dynn yn llaw Tad-cu Joe.

'Ydy hyn yn golygu taw ti yw'r *unig* un sydd ar ôl?' meddai Mr Wonka, gan esgus ei fod wedi synnu.

'Wel, ydy,' sibrydodd Charlie. 'Ydy.'

Yn sydyn ffrwydrodd Mr Wonka yn gyffro i gyd. 'Ond *fachgen annwyl,*' gwaeddodd yn uchel, '*mae hynny'n golygu taw ti sydd wedi ennill!*' Rhuthrodd o'r lifft a dechrau ysgwyd llaw Charlie mor wyllt fel y bu hi bron â chwympo i ffwrdd. 'O, llongyfarchiadau mawr i ti!' gwaeddodd. 'Llongyfarchiadau mawr yn wir! Dwi wrth fy modd! Allai pethau ddim bod yn well! Mae hyn yn gwbl wych! Roedd teimlad gyda fi, ti'n gwybod, o'r dechrau'n deg, taw ti fydd-

ai'n ennill. Da iawn *ti,* Charlie, da iawn *ti*! Mae hyn yn anhygoel! Nawr mae'r hwyl yn dechrau go iawn! Ond rhaid i ni beidio â wilibawan! Rhaid i ni beidio â dili-dalian! Mae llai o amser hyd yn oed nawr nag oedd o'r blaen! Mae *llwythi* o bethau gyda ni i'w gwneud cyn i'r diwrnod ddod i ben! A meddylia am y *trefniadau* sydd i'w gwneud! A'r holl bobl mae'n rhaid i ni eu nôl! Ond yn ffodus, mae fy lifft gwydr mawr gyda ni i gyflymu pethau! Neidia i mewn, Charlie bach, neidia i mewn! A chithe, Dad-cu Joe, syr! Na, na, ar eich ôl *chi.* Dyna'r ffordd! Nawr 'te! Y tro yma, *fi* fydd yn dewis y botwm rydyn ni'n mynd i'w wasgu!' Edrychodd llygaid glas pefriog disglair Mr Wonka am eiliad ar wyneb Charlie.

Mae rhywbeth dwl yn mynd i ddigwydd nawr, meddyliodd Charlie. Ond doedd dim ofn arno fe. Doedd e ddim yn nerfus, hyd yn oed. Ond roedd yn gyffro i gyd. A Tad-cu Joe hefyd. Roedd wyneb yr hen ddyn yn disgleirio'n llawn cyffro wrth iddo wylio pob symudiad roedd Mr Wonka'n ei wneud. Roedd Mr Wonka'n estyn am fotwm fry uwchben ar nenfwd gwydr y lifft. Estynnodd Charlie a Tad-cu Joe eu gyddfau i ddarllen beth oedd ar y label bach ar bwys y botwm.

Arno roedd ... LAN A MAS.

'*Lan* a *mas,*' meddyliodd Charlie. 'Pa fath o ystafell yw honna?'

Gwasgodd Mr Wonka'r botwm.

Caeodd y drysau gwydr.

'Daliwch yn sownd!' gwaeddodd Mr Wonka.

Yna WAM! Cododd y lifft yn syth lan fel roced! 'Hwrê!' gwaeddodd Tad-cu Joe. Roedd Charlie'n cydio'n dynn yng nghoesau Tad-cu Joe ac roedd Mr Wonka'n cydio'n dynn mewn strapen o'r nenfwd, a lan â nhw, lan, lan, lan, yn syth lan y tro hwn, heb droelli na throi, a gallai Charlie glywed yr awyr yn chwibanu tu fas wrth i'r lifft fynd yn gynt ac yn gynt. 'Hwrê!' gwaeddodd Tad-cu Joe eto. 'Hwrê! Dyma ni'n mynd!'

'Yn gynt!' gwaeddodd Mr Wonka, gan daro ochr y lifft â'i law. 'Yn gynt! Yn gynt! Os na ewn ni'n gynt na hyn, awn ni byth drwodd!'

'Drwy beth?' gwaeddodd Tad-cu Joe. 'Beth mae'n rhaid i ni fynd drwyddo fe?'

'A-ha!' gwaeddodd Mr Wonka, 'arhoswch i weld! Dwi wedi bod yn *ysu* am gael gwasgu'r botwm yma ers blynyddoedd! Ond dwi erioed wedi gwneud tan nawr! Fe ges i fy nhemtio sawl gwaith. O do, fe ges i fy nhemtio! Ond allwn i ddim dioddef meddwl am wneud twll anferth yn nho'r ffatri! Dyma ni'n mynd, fechgyn! Lan a mas!'

'Ond dych chi ddim yn golygu …' gwaeddodd Tad-cu Joe, '… dych chi ddim *wir* yn meddwl bod y lifft hwn …'

'O ydw, ydw!' atebodd Mr Wonka. 'Arhoswch i weld! Lan a mas!'

'Ond … ond … ond … mae e wedi'i wneud o wydr!' gwaeddodd Tad-cu Joe. 'Fe dorriff e'n filiynau o ddarnau mân!'

'Efallai wir,' meddai Mr Wonka, mor siriol ag erioed, 'ond mae'n wydr eithaf trwchus, hefyd.'

Rhuthrodd y lifft yn ei flaen, gan fynd lan a lan a lan, yn gynt ac yn gynt ac yn gynt…

Yna'n sydyn, *CLATSH!* – daeth sŵn byddarol pren yn hollti a llechi'n torri'n union uwch eu pennau, a gwaeddodd Tad-cu Joe, 'Help! Mae'r diwedd wedi dod! Does dim gobaith i ni!' ac meddai Mr Wonka, 'Na, na! Rydyn ni wedi mynd drwodd! Rydyn ni mas!' Ac yn wir, roedd y lifft wedi saethu mas drwy do'r ffatri ac roedd hi nawr yn codi i'r awyr fel roced, ac roedd yr haul yn arllwys i mewn drwy'r to gwydr. Mewn pum eiliad roedden nhw lan fil o droedfeddi yn yr awyr.

'Mae'r lifft wedi mynd yn ddwl!' gwaeddodd Tad-cu Joe.

‘Peidiwch ag ofni, syr annwyl,’ meddai Mr Wonka’n dawel, a gwasgodd fotwm arall. Daeth y lifft i stop. Stopiodd a hongian yn yr awyr, yn hofran fel hofrennydd, hofran uwchben y ffatri ac uwchben y dref ei hun oedd yn ymestyn o’u blaenau fel llun ar gerdyn post! O edrych i lawr drwy’r llawr gwydr lle safai, gallai Charlie weld y tai a’r strydoedd bychain ymhell i ffwrdd o dan drwch o eira. Roedd yn deimlad anghynnes a brawychus i sefyll ar wydr clir fry yn yr awyr. Roedd yn gwneud i chi deimlo fel nad oeddech chi’n sefyll ar unrhyw beth o gwbl.

‘Ydyn ni’n iawn?’ gwaeddodd Tad-cu Joe. ‘Sut mae’r peth yma’n aros lan?’

‘Pŵer siwgr!’ meddai Mr Wonka. ‘Un filiwn o bŵer siwgr! O, edrychwch, gwaeddodd, gan bwyntio i lawr, ‘dyna’r plant eraill yn mynd! Maen nhw’n mynd adre!’

29

Y Plant Eraill yn Mynd Adre

'*Rhaid* i ni fynd i lawr i gael cip ar ein ffrindiau bach cyn gwneud unrhyw beth arall,' meddai Mr Wonka. Gwasgodd fotwm arall ac aeth y lifft yn is, a chyn hir roedd yn hofran ychydig uwchben y gatiau mynediad i'r ffatri.

O edrych i lawr nawr, gallai Charlie weld y plant a'u rhieni'n sefyll mewn grŵp bychan yn union y tu mewn i'r gatiau.

'Dim ond tri galla i eu gweld,' meddai. 'Pwy sydd ar goll?'

'Mae'n debyg mai Mike Teavee yw e,' meddai Mr Wonka. 'Ond fydd e ddim yn hir nawr. Weli di'r lorïau?' Pwyntiodd Mr Wonka at res o lorïau enfawr a gorchudd drostyn nhw wedi eu parcio'n rhes gerllaw.

'Gwnaf,' meddai Charlie. 'Beth maen *nhw*'n ei wneud?'

'Dwyt ti ddim yn cofio beth oedd ar y Tocynnau Aur? Mae pob plentyn yn mynd adre â digon o losin i bara oes. Mae un llond lorri ar gyfer pob un ohonyn nhw, wedi eu llwytho i'r ymylon. A-ha,' meddai Mr Wonka wedyn, 'dyna ein ffrind Augustus Gloop! Wyt ti'n ei weld e? Mae e'n mynd i mewn i'r lorri gyntaf gyda'i fam a'i dad!'

'Felly mae e *wir* yn iawn?' gofynnodd Charlie, wedi'i synnu. 'Hyd yn oed ar ôl mynd i fyny'r biben ofnadwy honna?'

'Mae e'n iach fel cneuen,' meddai Mr Wonka.

'Mae e wedi newid! meddai Tad-cu Joe, gan syllu i lawr drwy wal wydr y lifft. 'Roedd e'n arfer bod yn dew! Nawr mae e'n denau fel rhaca!'

'Wrth gwrs ei fod e wedi newid,' meddai Mr Wonka, dan chwerthin. 'Fe gafodd e ei wasgu yn y biben. Dych chi ddim yn cofio? Ac edrychwch! Dyna Miss Violet Beauregarde, yr un oedd yn cnoi gwm yn ddiddiwedd! Mae'n edrych fel tasen nhw wedi llwyddo i dynnu'r sudd ohoni wedi'r cyfan. Dyna falch ydw i. Ac mae hi'n edrych mor iach! Yn llawer gwell nag o'r blaen!'

'Ond mae ei hwyneb hi'n borffor i gyd!' meddai Tad-cu Joe.

'Ydy, wir,' meddai Mr Wonka, 'O, wel, allwn ni wneud dim ynglŷn â hynny.'

'Arswyd y byd!' meddai Charlie. 'Edrychwch ar Veruca Salt a Mr Salt a Mrs Salt druain! Maen nhw'n sbwriel o'u corun i'w sawdl!'

'A dyma Mike Teavee'n dod!' meddai Tad-cu Joe. 'Nefoedd wen! Beth maen nhw wedi'i wneud iddo fe? Mae e tua deg troedfedd o daldra ac yn denau fel weiran gaws!'

'Maen nhw wedi ei orymestyn e yn y peiriant ymestyn gwm,' meddai Mr Wonka. 'Diofal dros ben.'

'Ond druan ohono fe!' gwaeddodd Charlie.

'Dim o gwbl,' meddai Mr Wonka, 'mae e'n ffodus iawn. Bydd pob tîm pêl-fasged yn y wlad yn ceisio cael gafael arno fe. Ond nawr,' ychwanegodd, 'mae'n amser i ni adael y pedwar plentyn twp yna. Mae rhywbeth pwysig iawn gyda fi i'w drafod â ti, Charlie annwyl.' Gwasgodd Mr Wonka fotwm arall, a llamodd y lifft fry i'r awyr.

30

Ffatri Siocled Charlie

Roedd y lifft gwydr mawr nawr yn hofran yn uchel uwchben y dref. Yn y lifft safai Mr Wonka, Tad-cu Joe a Charlie bach.

'Dwi'n dwlu ar fy ffatri siocled,' meddai Mr Wonka, gan syllu arni. Yna oedodd, a throi i edrych ar Charlie a golwg hynod ddifrifol ar ei wyneb. 'Wyt *ti*'n dwlu arni hefyd, Charlie?' gofynnodd.

'O, ydw,' meddai Charlie, 'dwi'n credu taw dyma'r lle mwyaf rhyfeddol yn y byd!'

'Dwi'n falch iawn o'th glywed di'n dweud hynny,' meddai Mr Wonka, gan edrych yn fwy difrifol nag erioed. 'Ydw,' meddai, 'dwi'n hynod falch o'th glywed di'n dweud hynny. A nawr fe ddweda i pam wrthot ti.' Trodd Mr Wonka ei ben i un ochr ac yn sydyn ymddangosodd crychau bychain pefriog gwên o amgylch corneli ei lygaid, ac meddai, 'Ti'n gweld, fachgen annwyl, dwi wedi penderfynu rhoi'r lle i gyd i ti. Cyn gynted ag y byddi di'n ddigon hen i'w rhedeg hi, ti fydd biau'r ffatri i gyd.'

Rhythodd Charlie ar Mr Wonka. Agorodd Tad-cu Joe ei geg i siarad, ond ddaeth dim geiriau ohoni.

'Mae'n gwbl wir,' meddai Mr Wonka, oedd bellach

yn gwenu o glust i glust. 'Dwi wir yn ei rhoi hi i ti. Mae hynny'n iawn, on'd yw e?'

'Ei *rhoi* hi iddo fe?' meddai Tad-cu Joe mewn syndod. 'Rydych chi'n tynnu coes.'

'Dwi ddim yn tynnu coes, syr. Dwi'n gwbl o ddifrif.'

'Ond ... ond ... pam fyddech chi eisiau rhoi eich ffatri chi i Charlie bach?'

'Gwrandewch,' meddai Mr Wonka, 'dwi'n hen ddyn. Dwi'n llawer henach na rydych chi'n meddwl. Alla i ddim mynd ymlaen am byth. Does dim plant fy hunan gyda fi, dim teulu o gwbl. Felly pwy sy'n mynd i redeg y ffatri pan fydda i'n mynd yn rhy hen i wneud hynny fy hunan? Mae'n rhaid i *rywun* ei chadw hi i fynd – tasai hynny ond er mwyn yr Wmpalwmpas. Cofiwch chi, mae miloedd o ddynion clyfar fyddai'n rhoi popeth am gyfle i ddod i mewn a chymryd drosodd oddi wrtha i, ond nid y math yna o berson dwi eisiau. Dwi ddim eisiau oedolyn o gwbl. Fydd oedolyn ddim yn gwrando arna i; ddysgiff e ddim byd. Fe fydd e'n treio gwneud popeth fel y bydd *e* eisiau a dim fel *dwi* eisiau. Felly rhaid i mi ddewis plentyn. Dwi eisiau plentyn da, call a chariadus, plentyn y galla i ddatgelu iddo fe fy nghyfrinachau gwneud losin mwyaf gwerthfawr – tra 'mod i'n dal yn fyw.'

'Felly *dyna* pam danfonoch chi'r Tocynnau Aur!' gwaeddodd Charlie.

'Yn union!'meddai Mr Wonka. 'Fe benderfynais wahodd pum plentyn i'r ffatri, a'r un roeddwn i'n ei hoffi orau ar ddiwedd y dydd fyddai'r enillydd!'

'Ond Mr Wonka,' meddai Tad-cu Joe, 'ydych chi

wir yn meddwl go iawn eich bod chi'n rhoi'r ffatri enfawr yma i gyd i Charlie bach? Wedi'r cyfan ...'

'Does dim amser i ddadlau!' gwaeddodd Mr Wonka. 'Rhaid i ni fynd ar unwaith i nôl gweddill y teulu – tad Charlie a'i fam ac unrhyw un arall sydd o gwmpas! Gall pawb fyw yn y ffatri o hyn allan! Gall pawb fy helpu i i'w rhedeg hi tan y bydd Charlie'n ddigon hen i wneud hynny ar ei ben ei hun! Ble rwyt ti'n byw, Charlie?'

Syllodd Charlie i lawr drwy'r llawr gwydr ar y tai islaw o dan drwch o eira. 'Draw fan'na mae e,' meddai, gan bwyntio. 'Y bwthyn bach yna reit ar ymyl y dref, yr un pitw bach yna ...'

'Fe wela i fe!' gwaeddodd Mr Wonka gan wasgu mwy o fotymau, a saethodd y lifft i lawr tuag at dŷ Charlie.

'Mae arna i ofn na ddaw Mam gyda ni,' meddai Charlie'n drist.

'Pam yn y byd?'

'Achos wnaiff hi ddim gadael Mam-gu Josephine a Mam-gu Georgina a Tad-cu George.'

'Ond mae'n rhaid iddyn nhw ddod hefyd.'

'Allan nhw ddim,' meddai Charlie. 'Maen nhw'n hen iawn a dydyn nhw ddim wedi bod mas o'r gwely ers ugain mlynedd.'

'Felly fe awn ni â'r gwely hefyd, gyda nhw ynddo fe,' meddai Mr Wonka. 'Mae digon o le i wely yn y lifft yma.'

'Chewch chi byth mo'r gwely mas o'r tŷ,' meddai Tad-cu Joe. 'Aiff e ddim drwy'r drws.'

'Peidiwch â digalonni!' gwaeddodd Mr Wonka. 'Does dim byd yn amhosibl! Gwyliwch nawr!'

Nawr roedd y lifft yn hofran uwchben to bwthyn bychan y teulu Bucket.

'Beth rydych chi'n mynd i'w wneud nawr?' gwaeddodd Charlie.

'Dwi'n mynd yn syth i mewn i'w nôl nhw,' meddai Mr Wonka.

'Sut?' gofynnodd Tad-cu Joe.

'Drwy'r to,' meddai Mr Wonka, gan wasgu botwm arall.

'Na!' gwaeddodd Charlie.

'Stopiwch!' gwaeddodd Tad-cu Joe.

CLATSH – i lawr â'r lifft, yn syth i lawr drwy do'r tŷ i ystafell wely'r hen bobl. Daeth llwch a llechi wedi torri a darnau o bren a chwilod du a chorynnod a brics a sment yn gawodydd ar y tri hen berson oedd yn gorwedd yn y gwely, a phob un ohonyn nhw'n meddwl fod diwedd y byd wedi dod. Llewygodd Mam-gu Georgina, gadawodd Mam-gu Josephine ei dannedd dodi i gwympo, rhoddodd Tad-cu George ei ben o dan y garthen, a rhuthrodd Mr a Mrs Bucket i mewn o'r ystafell drws nesaf.

'Achubwch ni!' gwaeddodd Mam-gu Josephine.

'Paid â chynhyrfu, fy annwyl wraig,' meddai Tad-cu Joe, gan gamu o'r lifft. 'Dim ond ni sydd yma.'

'Mam!' gwaeddodd Charlie, gan ruthro i freichiau Mrs Bucket. 'Mam! Mam! Gwrandawa ar beth sydd wedi digwydd! Rydyn ni i gyd yn mynd 'nôl i fyw yn ffatri Mr Wonka ac rydyn ni'n mynd i'w helpu fe i'w rhedeg hi ac mae e wedi ei rhoi hi *i gyd* i fi a … a … a … a …'

'Am *beth* wyt ti'n siarad?' meddai Mrs Bucket.

'Edrychwch ar ein tŷ ni!' gwaeddodd Mr Bucket druan. 'Mae'r lle'n rhacs!'

'Syr annwyl,' meddai Mr Wonka, gan neidio ymlaen ac ysgwyd llaw Mr Bucket yn wresog iawn. 'Dwi'n hynod o falch o gwrdd â chi. Does dim rhaid i chi boeni am eich tŷ chi. O hyn allan, fydd dim angen y lle arnoch chi, ta beth.'

'Pwy *yw*'r dyn dwl yma?' sgrechiodd Mam-gu Josephine. 'Fe allai fe fod wedi ein lladd ni i gyd.'

'Hwn,' meddai Tad-cu Joe, 'yw Mr Wili Wonka ei hun.'

Cymerodd hi gryn dipyn o amser i Tad-cu Joe a Charlie egluro i bawb beth yn union fu'n digwydd iddyn nhw drwy'r dydd. A hyd yn oed wedyn gwrthododd pawb gael reid 'nôl i'r ffatri yn y lifft.

'Byddai'n well gyda fi farw yn fy ngwely!' gwaeddodd Mam-gu Josephine.

'A finnau hefyd!' gwaeddodd Mam-gu Georgina.

'Dwi'n gwrthod mynd!' cyhoeddodd Tad-cu George.

Felly, heb gymryd yr un sylw o'u sgrechfeydd, gwthiodd Mr Wonka a Tad-cu Joe a Charlie'r gwely i'r lifft. Gwthion nhw Mr a Mrs Bucket i mewn ar ei ôl e. Yna aethon nhw i mewn eu hunain. Gwasgodd Mr Wonka fotwm. Caeodd y drysau. Sgrechiodd Mam-gu Georgina. A dyma'r lifft yn codi oddi ar y llawr a saethu drwy'r twll yn y to, allan i'r awyr agored.

Dringodd Charlie ar y gwely a cheisio tawelu ofnau'r tri hen berson oedd yn dal i grynu mewn ofn. 'Peidiwch ag ofni, da chi,' meddai. 'R'yn ni'n eitha saff. Ac r'yn ni'n mynd i'r lle mwyaf rhyfeddol yn y byd!'

'Mae Charlie'n iawn,' meddai Tad-cu Joe.

'Fydd rhywbeth i'w fwyta pan gyrhaeddwn ni?' gofynnodd Mam-gu Josephine. 'Dwi'n llwgu! Mae'r teulu i gyd yn llwgu!'

'Rhywbeth i'w *fwyta*?' gwaeddodd Charlie dan chwerthin. 'O, arhoswch i chi gael gweld!'

Gwneud pethau da

Roedd Roald Dahl yn ysbïwr, yn beilot awyren ymladd penigamp, yn hanesydd siocled ac yn ddyfeisiwr meddygol. Roedd e hefyd yn awdur storïau gwych, yn eu plith, *Charlie a'r Ffatri Siocled*, *Yr CMM* a *Matilda*. Fe yw storïwr rhif 1 y byd o hyd.

Dywedodd Roald Dahl, "Os ydych chi'n meddwl pethau da, byddan nhw'n sgleinio drwy'ch wyneb fel pelydrau'r haul a byddwch chi bob amser yn edrych yn hyfryd."

Rydyn ni'n credu mewn gwneud pethau da. Dyna pam bod deg y cant o incwm* Roald Dahl yn mynd i'n partneriaid elusennol. Rydyn ni wedi cefnogi achosion da fel: nyrsys arbenigol i blant, grantiau i deuluoedd mewn angen a chynlluniau estyn addysgiadol. Diolch am ein helpu ni i gynnal y gwaith hanfodol hwn.

Am fanylion pellach, ewch i wefan roalddahl.com

Mae Ymddiriedolaeth Elusennol Roald Dahl yn elusen gofrestredig yn y DU (rhif 1119330).

*Mae comisiwn wedi'i dynnu o'r taliadau awdur a'r breindal a roddir.

ROALD DAHL

Hefyd ar gael oddi wrth Rily …

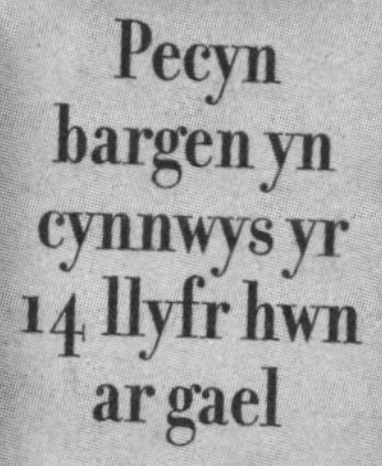

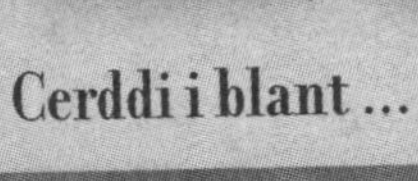

… ac i blant oedran uwchradd ac oedolion

rily.co.uk